CLÉS POUR

LE SEIGNEUR DES ANNEAUX

DE
J.R.R. TOLKIEN

POCKET CLASSIQUES

collection dirigée par Claude AZIZA

CATHERINE BOUTTIER-COUQUEBERG

CLÉS POUR

LE SEIGNEUR DES ANNEAUX

DE

J.R.R. TOLKIEN

pp. 89, 96, 103, 120 et 134 : ces figures ont été dessinées par J. Couqueberg. Affectueux remerciements.

Les cartes du présent ouvrage sont extraites de l'entracte des *Contes et Légendes inachevés*, Pocket Jeunesse, n^{os} J256, J257, J258.

© Pocket, un département d'Univers Poche, 2002.

ISBN : 2-266-12484-6

SOMMAIRE

AVANT-PROPOS

Si l'Anneau du Pouvoir suprême n'est pas détruit, le Seigneur de l'Ombre s'emparera de la Terre ! Comment ? Encore une fois, il s'agit de sauver le monde ? Le sujet n'a rien d'original. Combien de savants fous, combien de despotes mégalomanes n'ont pas déjà tenté pareille entreprise ! Combien de films, de romans, de B.D. ! Mais ici, ni Dr Folamour ni guerre des étoiles. L'être démoniaque qui n'a plus de corps mais contrôle les esprits, qui hante tout le roman sans jamais y paraître, dont l'Œil fouille les âmes et fascine les volontés, ressemble plutôt au Satan occidental, à l'Ariman perse, fauteur de chaos et dieu de nuit. Les spectres drapés de noir[1], cavaliers sans visage, serviteurs inconditionnels du Maudit, ne descendent pas d'un vaisseau spatial mais sortent des danses macabres[2] du Moyen Âge. Il ne leur manque qu'une faux pour se faire mieux (re)connaître.

Pas d'anticipation mais un retour vers le passé : pas

---

1. Darth Vador, figure du pouvoir obscur dans *La Guerre des étoiles*, mort vivant, a hérité de leur vêtement comme de leur aura terrifiante.
2. Fresques dans les églises qui représentaient des squelettes entraînant tous les humains, rois ou paysans, dans la ronde de la Mort.

de laser mais des épées, pas de fusées mais des chevaux, pas de mutants mais des elfes. Voici donc le lecteur entraîné dans une aventure médiévale. Tout y est : vaillants chevaliers et duels héroïques, armées innombrables et batailles rangées, châteaux merveilleux et tours infernales, sans oublier une Dame aux cheveux d'or. Et après bien des exploits, le Roi caché pourra déployer son étendard et s'asseoir sur le trône de ses pères. Son amour fidèle sera récompensé par un heureux mariage. La paix retrouvée illumine la Terre. Oui, tout cela figure bien dans le roman et procure bien au lecteur le double plaisir du dépaysement et de la familiarité. Mais le livre ne se réduit pas aux stéréotypes du récit chevaleresque ni au pittoresque historique.

Il offre aussi le charme et les certitudes d'un conte initiatique. Les vrais héros ne sont pas les seigneurs en armures mais des Semi-Hommes[1], d'une race si petite et si discrète qu'elle s'abrite dans des « trous » de la terre[2]. Toute une compagnie s'engage dans l'expédition périlleuse qui doit mener au-delà des frontières connues. Ils ne sont plus que deux à passer dans l'autre monde, domaine du Mal et terre de cauchemar. Peu à peu ils doivent laisser armes et bagages pour arriver au bord du gouffre, dénués de tout. C'est en eux seuls, dans leur foi et dans leur amitié, qu'ils puisent les forces nécessaires. Partis de leur foyer naïfs, ignorants, joyeux vivants... et grassouillets, ils gagnent en esprit ce qu'ils perdent de chair. Ils apprennent à connaître les créatures du monde. Ils traversent mille épreuves, mille souffrances et – presque au sens propre – mille morts : ils sont ainsi forcés de descendre en eux-mêmes au point de discerner ce qu'il y a

1. Leur nom en ouestrain.
2. Dotés néanmoins de tout le confort cher aux Anglais...

réellement d'essentiel. Ils peuvent alors revenir au monde habituel et être acclamés comme des sauveurs. En sauvant la Terre, ces Petits Poucets perdus se sont trouvés eux-mêmes. Les enfants capricieux et gourmands sont devenus adultes.

Du conte, le récit a hérité aussi quelques étonnantes merveilles : les forêts vivent, apaisantes ou agressives. Des Elfes courent sans incliner les herbes, des mages hypnotisent leurs victimes ou combattent des monstres, les miroirs reflètent l'ailleurs.

Mais, constamment, le roman se rattache à l'ici. Tolkien décrit assez précisément les lieux, les êtres et les objets pour leur donner le poids du concret. Au plus noir de la nuit, les jeunes héros rêvent de bon tabac ou de ragoût mijoté. Le burlesque vient éclairer le tragique et le familier se mêle à l'extraordinaire. Ni fantastique ni réaliste, la fiction de Tolkien suit une troisième voie, le chemin de Faërie.

Le plus singulier dans l'œuvre de Tolkien, c'est cette invention de tout un monde parallèle. Comme de la poche de Peter Schlemihl, des pages du *Seigneur des Anneaux*, sortent des Orques et des Ents, des monts et des forêts, bref toute une Terre, la Terre du Milieu avec ses habitants. À chaque lieu, à chaque figurant, Tolkien a donné un nom. Les ruisseaux rejoignent des fleuves qui aboutissent à une mer, les sentiers parviennent à une destination. Toute une géographie se compose ainsi et la cohérence de cette imagination a passionné plus d'un lecteur : même l'écrivain et géographe Julien Gracq, grand créateur de noms et de paysages [1], en a été séduit. Il faut dire que Tolkien a passé des années à peaufiner et à corriger les cartes de la Terre du Milieu pour éviter toute absurdité dans les parcours. Chaque héros est doté d'ancêtres, d'un passé

---

1. En particulier dans *Le Rivage des Syrtes*.

qui se révèle au gré de rapides allusions. Là aussi Tolkien a revu, précisé les généalogies (une de ses passions !) et les calendriers afin que tout se tienne parfaitement et que, d'un livre à l'autre, les explications se complètent sans se contredire. Il est donc possible d'établir un carnet de route pour l'itinéraire des Compagnons ainsi que de constituer un dictionnaire des personnages : noms, origines, détails biographiques, nous avons de quoi écrire des notices complètes. Les fanatiques de l'œuvre (et ils sont nombreux !) s'exercent à ces jeux de piste : les sites Internet proposent de véritables encyclopédies de la Terre du Milieu. De multiples entrées permettent de tout, tout, tout connaître : le climat de telle région ou l'historique de tel bijou, les noms qu'a reçus tel petit ruisseau à travers les âges et leurs étymologies. On pourrait presque concevoir une méthode Assimil du quenya ou du ouestrain, les langues des Elfes et des Hommes !

Car la Terre du Milieu continue d'être arpentée par des milliers de pèlerins enthousiastes. Si les critiques l'ont d'abord dédaignée, les lecteurs ont très vite plébiscité l'œuvre. Des millions de livres vendus, des traductions en de multiples langues. Les amples dimensions du roman auraient pourtant pu sembler dissuasives mais les adolescents y ont vu comme un défi. Et des années plus tard, comme le réalisateur Peter Jackson, ils gardent le souvenir de leur premier émerveillement et tâchent de le faire partager à d'autres. Ils écrivent des analyses et des dictionnaires, ils créent des sites et animent des forums, des clubs, des soirées (prônant l'absolue fidélité à l'œuvre, jusqu'au sectarisme !), ou ils n'hésitent pas à se lancer dans la gigantesque entreprise d'une illustration cinématographique [1]. Et à leur tour, ils créent sur ce territoire de

1. Quelques remarques sur l'élaboration du film pp. 40 et 234.

nouvelles aventures grâce, par exemple, à des jeux de rôles. Tout se passe comme si cette œuvre singulière ne cessait de solliciter l'imagination. Ainsi, chaque année, les descriptions du roman suscitent de nouveaux dessins, dans des styles fort différents qui reflètent l'imaginaire plus ou moins sombre des artistes, leur attrait pour la minutie naïve ou le fantastique grandiose [1].

Peut-on réellement expliquer un tel engouement ? Le rythme de la narration et les multiples surprises que réserve l'aventure justifient certes l'ardeur de la lecture. Le courage des héros force la sympathie. Mais n'y a-t-il que cela ? Sans aller jusqu'à décrypter, dans ce cycle romanesque, une métaphysique sublime, on a plaisir à trouver un sens pour chaque signe, on est séduit par la beauté des symboles. Peut-être ces forêts édéniques et ces déserts infernaux, au-delà des rêves écologiques et des cauchemars technologiques, réveillent-ils en nous des angoisses ancestrales ou de très anciennes nostalgies, comme le parfum d'un monde perdu ?

---

1. Déjà Tolkien a peint certains des lieux qu'il décrivait : Fondcombe, la Lórien, Hobbitebourg ; et John Howe, Alan Lee, Ted Nasmith... ont continué (p. 232).

MODE D'EMPLOI

*« Que ne jure pas de marcher dans les ténèbres qui
n'a pas vu la tombée de la nuit. »*

Le Seigneur des Anneaux t. 1, II, p. 374

Ce livre n'a de justification que comme « compagnon » des trois tomes du *Seigneur des Anneaux*. Il est prévu pour plusieurs types de lecteurs et peut donc s'utiliser de manières différentes.

Vous venez de voir le premier épisode du film de Peter Jackson et vous êtes assez désarçonné par cet univers nouveau ? Ce guide peut vous aider à retrouver l'histoire et les personnages, à mieux connaître les créatures aperçues en apprenant leurs origines et leur évolution.

Vous entamez la lecture du *Seigneur des Anneaux* et vous avez l'impression de vous perdre dans ce foisonnement de lieux et d'êtres divers ? Des cartes vous aident à vous situer et à suivre les itinéraires, des généalogies recomposent les familles, différents index et des paragraphes fléchés par des titres permettent d'identifier un personnage, de reconstituer son passé, de noter ses caractéristiques.

Vous avez atteint le niveau « expert » et avez

dévoré les trois tomes à la file ? Ce guide replace le récit dans les horizons plus larges de la Terre du Milieu tels que les décrit Tolkien dans l'ensemble de ses œuvres. Il vous propose des pistes pour poursuivre vos lectures ou vous lancer dans l'interprétation du projet de Tolkien.

Bref vous pouvez lire en continu cet ouvrage dont la première partie est descriptive, la seconde explicative. Vous pouvez aussi choisir de pêcher, méthodiquement ou au hasard, les éclaircissements qui vous intéressent. Des index et une table des matières détaillée à la fin de l'ouvrage faciliteront vos recherches.

Comme le guide s'appuie constamment sur le roman, il renvoie explicitement aux pages de celui-ci dans l'édition Pocket (S.-F.) : sont indiqués, dans l'ordre, le tome (t. 1...), le livre (I...), enfin le chapitre (ch. I...) ou la page (p. 1...). Outre les citations brèves, quelques extraits plus longs, « gros plans » sur des lieux ou des personnages, sont reproduits en petits caractères.

BALISES

1 – TEMPS

UNE BRÈVE HISTOIRE DU MONDE

En Grèce, en Orient, en Scandinavie ou en Amérique, les mythologies commencent par expliquer la formation du monde et l'apparition des hommes à la surface de la Terre. Tolkien, grand lecteur et admirateur des « Eddas [1] », compose lui aussi son livre sacré des Origines, *Le Silmarillion*, où il relate la formation et l'évolution d'Arda, la Terre, et des êtres qui l'habitent. Il ne cesse tout au long de sa vie d'étoffer et de corriger ce recueil [2] qui ne sera publié qu'après sa mort. Des contes, centrés sur la geste de tel ou tel héros, et deux romans complètent le cycle.

---

1. Ces poèmes islandais, rassemblés au XIe siècle, racontent aussi bien l'histoire du monde que des aventures héroïques.
2. *Le Silmarillion* est organisé en trois chants : *Ainulindalë, Valaquenta, Quenta Silmarillion*. Mais Tolkien souhaitait inclure dans le recueil deux courts récits : *Akallabêth* et *Les Anneaux du pouvoir* pour achever le parcours chronologique et faire du livre la somme de son Histoire.

		Akallabêth	Les Anneaux du pouvoir et le 3e Âge
Le Silmarillion 1917-1923... publié en 1977			
Ainulindalë *Valaquenta*	*Quenta Silmarillion*		
hors du temps	Le 1er Âge	Le 2e Âge	Le 3e Âge
	Contes inachevés du 1er Âge	*Contes inachevés du 2e Âge*	*Contes inachevés du 3e Âge*
			Bilbo le Hobbit 1932-1937
			Le Seigneur des Anneaux 1937-1949

CHRONOLOGIE UNIVERSELLE SELON TOLKIEN

Les commencements du monde appartiennent au mythe, l'idée même de date et de durée est inconcevable. Le décompte du temps naît avec l'invention du Soleil et de la Lune vers la fin du 1er Âge. Ces temps immémoriaux subsistent dans les chants et les souvenirs des Elfes, mais ils s'effacent pour les Hommes dans la lointaine fiction des légendes. Ils baptisent « Jours Anciens » les Âges qui précèdent leur époque[2].

1. Ne sont signalés ici que des récits traduits et publiés en français à ce jour.
2. Au 3e Âge, les Hommes nommeront ainsi tout ce qui se rapporte aux 1er et 2e Âges ; au 4e Âge, à son tour le 3e Âge entrera dans l'autrefois du conte.

Avant le temps	Premier Âge	Deuxième Âge	Troisième Âge	Quatrième Âge
La naissance des dieux	La création du monde Guerres des dieux contre Morgoth	Guerres des Elfes et des Hommes contre Sauron	Guerres en Endor Complots de Sauron	Le temps des Hommes
		Royaumes elfes		
		Númenor : de la splendeur à la chute	Guerre de l'Anneau	
		Arnor et Gondor		
	Défaite de Morgoth	Défaite de Sauron	Chute de Sauron	
		1 à 3441	1 à 3021	
Avant le temps	Premier Âge	Deuxième Âge	Troisième Âge	Quatrième Âge
Les Jours Anciens				

L'Histoire est une suite de fractures : chaque Âge se termine par des catastrophes et des cataclysmes qui changent la face du monde. Depuis l'aube de la Création, une lutte, sournoise ou déclarée, oppose le désir de pouvoir à la volonté d'harmonie, les fauteurs de guerre aux artisans de paix, les forces de destruction aux forces de construction.

L'AUBE DES DIEUX

Au commencement était Ilúvatar, le Père Universel. Il créa les dieux (les Ainur ou « Bénis ») et les instruisit par la musique. Un jour, il lança un thème grandiose que les voix divines développèrent en une harmonie merveilleuse. Mais bientôt une dissonance se fit entendre, l'accord dégénéra en orageuse cacophonie. Melkor, le plus savant, avait introduit dans la musique des thèmes personnels et s'efforçait de faire dominer sa partie. Ilúvatar eut beau opposer de nouveaux thèmes, d'une tristesse grave, à la musique bruyante et vaine produite par Melkor, l'unité était brisée. Enfin il annonça : « Puissants sont les Ainur et Melkor est le plus puissant d'entre eux. Les mélodies que vous avez chantées sur mes thèmes, je vous montrerai ce qu'elles ont formé. Et toi, Melkor, tu verras que nul ne peut jouer de thème qui ne vienne de moi. »

Melkor, ainsi rabroué, fut pris de honte et de colère, et médita dès lors sa vengeance. Ilúvatar révéla aux dieux le Monde nouveau, une sphère suspendue au milieu du Vide ; il leur exposa ce qui est, fut et sera, mais sans leur montrer le cours précis des événements ni la fin des temps. Il leur fit voir comment les Enfants d'Ilúvatar : les Premiers-Nés ou Elfes, les Seconds-Nés ou Hommes, arriveraient un jour sur Arda, la Terre, quelque part dans les vastes espaces. Les dieux furent saisis d'admiration, mais, en secret, Melkor enviait les pouvoirs d'Ilúvatar et rêvait de former des créatures dont il dirigerait les volontés.

Enfin Ilúvatar prononça la Parole « Eä ! que le Monde soit ! » et le Monde fut.

PREMIER ÂGE			
Printemps d'Arda Les années des Lampes	Le royaume d'Aman Les années des Arbres	La longue Nuit	Les années du Soleil et de la Lune Les cinq batailles

La Terre des dieux

Certains des dieux descendirent alors dans le Monde pour accomplir les prophéties ; on les appelle les Valar, « les Puissants ». Ils entreprirent d'immenses travaux dans les déserts infinis, creusèrent des vallées, édifièrent des montagnes, formèrent des océans... Cependant Melkor n'avait pas renoncé à devenir le Maître du Monde et il s'ingéniait à détruire leur œuvre. Malgré ses manœuvres, la Terre prenait forme : quand le dieu malin imaginait le froid pour ternir les lacs, les canicules pour tarir les sources, les dieux bienfaisants inventaient la pluie pour arroser le sol, la neige pour embellir les eaux. Deux lampes éclairèrent Arda et faisaient pousser les plantes. Les Valar habitaient, en Arda, l'île d'Almaren sur le Grand Lac [1], et ils jouissaient avec insouciance d'un éternel printemps.

Cependant Melkor, caché dans le Nord lointain, y édifiait la puissante forteresse d'Utumno. Le souffle de sa haine fit pourrir les plantes, les animaux engendrèrent des monstres. Il brisa les lampes : la Terre bascula dans la nuit, le sol se fendit, un raz de marée engloutit l'île des Dieux.

Le Royaume bienheureux

Les Valar quittèrent alors les Terres du Milieu (Endor) pour l'extrême Ouest du Monde, le pays d'Aman. Ils bâtirent une cité blanche, Valinor, et plantèrent deux Arbres de Lumière, l'un d'Or et l'autre d'Argent, Laurelin et Telperion. Avec la rosée de l'Arbre d'Argent, ils formèrent les étoiles. Ainsi commencèrent pour de nombreux siècles les Jours Heureux de Valinor : sur cette terre bénie, rien ne fanait, tout était pur, une douce lumière nimbait les choses.

Bien sûr, Melkor n'avait pas renoncé à ses projets pervers : il rassemblait ses démons, les Balrogs, et créait des monstres innombrables pour terroriser le monde. Il construisit au Nord une nouvelle forteresse, Angband, qu'il confia à son lieutenant, Sauron. Quand les Elfes, Premiers-Nés, s'éveillèrent, les Valar les invitèrent à les rejoindre en Aman tandis que Melkor, le « Cavalier Noir », tâchait de les pervertir. Un combat terrible opposa

1. Voir carte p. 47.

alors les dieux de l'Ouest au seigneur du Nord. Mers et terres furent bouleversées, la forme d'Arda changea ; l'Océan, Belegaer, s'élargit et se creusa. Melkor fut enchaîné aux limites occidentales du Monde. Hélas ! les Valar ne découvrirent pas les souterrains où se cachaient Sauron et mille créatures malfaisantes.

La plupart des Elfes entreprirent le Grand Voyage vers le Pays de la Lumière. Fleurit alors un véritable âge d'or : Elfes et Valar vivaient en harmonie dans la lumière des Arbres. Les Nains, éveillés eux aussi au monde, croissaient en Endor où ils exerçaient leur ingéniosité d'artisans.

Le schisme

Mais quand Melkor fut relâché, sa peine accomplie, il s'employa à semer la discorde en insufflant orgueil et jalousie au cœur de certains Elfes. Il coupa les Arbres et tua le prince elfe Finwë pour voler ses précieux joyaux, les Silmarils. Le fils aîné de Finwë décida de poursuivre lui-même jusqu'en Endor le meurtrier qu'il nomma dès lors « le Noir Ennemi », Morgoth. Mais cette décision de colère entraîna sa famille et son peuple dans le cycle fatal de la vengeance et des crimes. Victoire morale durable de l'Ennemi !

Pour contrer les entreprises de Morgoth qui se plaît dans les ténèbres, les Valar créèrent le Soleil et la Lune qui dissipèrent l'obscurité ; on compta dès lors le Temps d'après le Soleil. De hauts remparts interdirent l'accès à Valinor, domaine des dieux. La Grande Mer, peuplée de terreurs et d'enchantements, empêchait même de s'en approcher.

Victoires et chute de Morgoth

Avec le premier Soleil, les Hommes s'éveillent en Endor. Certains rencontrent des suppôts de Morgoth et choisissent la voie du Mal. D'autres, les Edain, rencontrent des Elfes et ils se tournent vers le Bien. Ils s'établissent à l'ouest de la Terre du Milieu, dans le vaste pays de Beleriand, et combattent aux côtés des Elfes. Ainsi débutent les Guerres du Beleriand.

Les hordes de Morgoth cherchent à s'emparer des royaumes cachés des Elfes, Doriath ou Gondolin, que protègent des charmes magiques. Les fils de Finwë assiègent Angband, la forteresse de Morgoth. Malgré l'héroïsme des combattants, Elfes et Edain connaissent trop souvent la défaite et la mort. La situation devient dramatique quand l'Ennemi prend par traîtrise Gondolin.

Eärendil, fils d'une princesse elfe et d'un héros humain, parvient à s'échapper de la cité conquise. Il décide, devant le péril, de braver l'interdit des Valar et d'aller implorer leur secours. Il construit un fabuleux vaisseau, Vingilot, et jette à la mer avec horreur le Silmaril qu'il possède, ce joyau qui a attiré tant de maux sur les siens. Ce sacrifice lui gagne la bienveillance des dieux. Les Elfes de Valinor viennent se joindre aux Aigles et aux forces du Beleriand pour attaquer Angband. Le Dragon Noir géant qui défend la forteresse est abattu par Thorondor, le roi des Aigles, et par Eärendil. Il détruit Angband dans sa chute. Un cataclysme ravage le Beleriand. Morgoth, vaincu, est lancé dans le Vide, mais ses suppôts, en particulier son âme damnée Sauron, réussissent à se cacher dans les profondeurs d'Endor.

DEUXIÈME ÂGE				1 à 3441
Númenor				
32				3319

500	1000	1500	1693 à 1700	3262
Sauron réapparaît	Sauron en Mordor	création des Anneaux	guerre contre Sauron	Sauron à Númenor

23

Nouvelle donne

La plupart des Elfes retournent en Aman pour vivre avec les dieux. Pour récompenser les Edain qui ont combattu Morgoth, les Valar leur donnent une île idéale, Númenor, au milieu de la Grande Mer[1], mais ils interdisent à tout humain de naviguer vers Valinor. Eärendil, qui incarne l'alliance possible entre les Elfes et les Hommes, devient une étoile au ciel. Ses descendants reçoivent le droit de choisir leur race : Elrond opte pour les Elfes, Elros pour les Hommes. Il devient mortel et inaugure la lignée des Rois de Númenor. On nomme désormais Dúnedain, « Hommes de l'Ouest », ces habitants de Númenor : plus grands et plus vaillants que les autres hommes, ils jouissent d'une plus grande longévité.

En Endor[2], les Hommes, abandonnés par les Elfes et par les Dúnedain, régressent. Les Nains entament une période de migration et de croissance : ils occupent Khazad-Dûm et en exploitent les mines. Les Elfes restés en Terre du Milieu fondent de nouveaux royaumes : à l'est, dans la Grande Forêt ; en Eregion, pays où Celebrimbor « Main d'Argent » s'entoure d'habiles orfèvres et forgerons, commerce avec les Nains, et invente de merveilleux objets.

Attaques de Sauron contre les Elfes

Sauron reprend aux environs de 500 ses menées maléfiques, il occupe secrètement Mordor vers l'an 1000 et commence à fortifier Barad-Dûr, la « Tour Noire ». Sous une apparence séduisante et un nom d'emprunt, il s'insinue dans les bonnes grâces de Celebrimbor tandis que d'autres Elfes, comme Gil-Galad, souverain du Lindon, ou Galadriel, se méfient d'emblée. Galadriel emmène de nombreux Elfes hors de l'Eregion et, au-delà des Monts

1. Voir carte p. 47.
2. Voir carte p. 49.

de Brume, crée le royaume magique de la Lórien. Les Elfes de l'Eregion, sous l'influence perverse de Sauron, forgent leurs chefs-d'œuvre, les Anneaux de pouvoir vers 1500. Ils ne comprennent leur erreur que quelque temps plus tard quand Sauron forge l'Anneau Unique qui lui permet de dominer tous les autres.

La guerre éclate en 1693. Sauron envahit l'Eregion, Celebrimbor est tué, les Neuf Anneaux des Hommes et les Sept des Nains tombent entre les mains de l'Ennemi, mais les Trois Anneaux des Elfes échappent à son pouvoir. La résistance s'organise : la Lórien se fortifie, Elrond se retire dans la vallée cachée d'Imladris (Fondcombe), les Nains ferment les portes de la Moria. Sauron généralise son attaque. Gil-Galad et Galadriel ont regroupé leurs forces et reçoivent le renfort d'une flotte venue de Númenor. En 1700, Sauron est vaincu par la coalition.

Attaques de Sauron contre les Hommes

L'Ennemi tâche alors de débaucher les Hommes pour prendre sa revanche. L'Ombre gagne en Númenor, les habitants deviennent orgueilleux et violents, beaucoup se mettent à jalouser les Elfes à cause de leur immortalité. Les Rois développent leurs armées, ils construisent de puissantes forteresses et des navires de guerre. Enfin ils se sentent assez forts pour se lancer seuls à l'attaque de Sauron. Se sachant inférieur en force, celui-ci a l'habileté de se constituer prisonnier (en 3262). Emmené à Númenor, il a toutes facilités pour corrompre les esprits et les incliner au despotisme. Il pousse le Roi à lancer une Grande Armada pour conquérir Valinor, la terre des dieux. Eru, le Dieu suprême, déchaîne sa colère afin de purifier le Monde : un abîme s'ouvre et engloutit la flotte sacrilège, un raz de marée submerge Númenor. Le corps de Sauron est détruit, il ne pourra plus apparaître que sous un aspect hideux. La Terre, plate naguère, a pris une

forme ronde ; ainsi l'accès au royaume des dieux est définitivement rendu impossible aux mortels.

N'ont échappé au cataclysme que quelques âmes
pures. Ces Dúnedain survivants, guidés par Elendil et ses
fils, gagnent l'Endor et y fondent les Royaumes de l'Exil,
Arnor au nord, Gondor au sud[1]. Des tours défendent les
royaumes et surveillent l'Ennemi. Sauron reconstitue ses
armées et se lance à nouveau à l'assaut mais la Dernière
Alliance des Hommes et des Elfes, conduite par Elendil
et Gil-Galad, le repousse à Dagorlad. Barad-Dûr est
assiégée et prise. Hélas ! Elendil, Gil-Galad et bien
d'autres ont péri dans la bataille ! Isildur, fils d'Elendil,
a gravement touché Sauron en lui tranchant le doigt mais
il a commis l'imprudence de garder l'Anneau Unique.
Promesse de nouvelles menaces sur la paix du monde ...

TROISIÈME ÂGE						1 à 3021
1000 ↗	XIᵉ-XIIᵉ s.	1600 ↗	1974	2050	510 ↗	2941
Sauron	apogée	Hobbits	fin	fin	Rohan	Bilbon
revient	du	en	d'Arnor	des		détient
Mission	Gondor	Comté		rois		l'Anneau
des		1635		de		
Istari		Grande		Gondor		
		Peste				
				↑		
				2063-2460		2951
				Paix		Sauron
				Vigilante		à Dol
						Guldur

Heurs et malheurs des Royaumes

Les seigneurs Elfes habitent des oasis forestières :
Thranduil à Vertbois-le-Grand, Elrond à Fondcombe,
Galadriel et Celeborn en Lórien. Les Dúnedain gouvernent les royaumes d'Arnor et de Gondor. La tour
d'Orthanc (Isengard) est érigée à la frontière des deux

1. Voir carte p. 49.

Royaumes. Sept tours renferment les pierres de vision (palantiri) qui surveillent le Mordor.

Arnor décline, est divisé en trois royaumes qui sont détruits peu à peu par les forces du Mal ; le dernier royaume tombe en 1974. Gondor prospère et occupe de vastes territoires à l'est, jusqu'à la Mer de Rhûn. Le royaume remporte une longue guerre contre les peuples du Harad, au sud, et connaît son apogée aux XIᵉ et XIIᵉ siècles. Mais il est miné par la peste de 1635, affaibli par de durs hivers et les combats contre des vagues successives d'invasions ; aussi doit-il abandonner l'est de l'Anduin. En 2050 est tué le dernier Roi de Gondor. Le royaume est désormais géré par des Intendants.

Les gens de Gondor doivent renoncer à Osgiliath, leur capitale, pillée par les Orques en 2475 ; et à Orthanc ; enfin, vers 2900, à l'Ithilien sans cesse en proie à des raids du Sud.

Migrations et invasions

Les Hommes de l'Est ou Esterlins se déplacent et harcèlent les royaumes. Les Hommes du Nord, chassés par ceux-ci, migrent vers le sud, ils prennent le nom d'Eothéod. Alliés du Gondor, ils volent courageusement à son secours et repoussent avec eux les envahisseurs ; en récompense, en 2510, ils reçoivent comme fief la région qu'on appellera dès lors Rohan ou Riddermark, « Marche des Cavaliers ».

Le petit peuple des Hobbits, qui existait depuis le 1ᵉʳ Âge mais avait réussi à vivre caché jusque-là, doit quitter son refuge menacé et fuir vers l'ouest. En 1600, ils obtiennent un fief en Arthedain, le dernier royaume d'Arnor, et y établissent une colonie de plus en plus peuplée et florissante, la Comté.

Les Nains mènent pendant deux siècles (2790 à 2941) des guerres sanglantes contre les Orques, ils en sortent finalement vainqueurs par la bataille des Cinq Armées, grâce à l'appui des Elfes de Thranduil et des Aigles.

L'irrésistible progression de l'Ombre

Vers l'an mille, Sauron réapparaît ; les Valar envoient en Terre du Milieu les Mages ou Istari, pour maintenir l'équilibre entre les forces du Mal et celles du Bien. Les Mages constituent avec leurs alliés, les seigneurs elfes, le Conseil Blanc.

Les Nazgûl, Spectres-de-l'Anneau dotés de terrifiants pouvoirs, viennent servir Sauron. Leur chef, le Roi-Sorcier, fonde en 1300 le royaume d'Angmar, attaque et soumet les royaumes du Nord. Vertbois tombe au pouvoir du Mal et est rebaptisé Forêt Noire. Enfin vaincu au bout de sept siècles de luttes, le Roi-Sorcier retourne en Mordor mais recommence bientôt ses incursions : il conquiert en 2002 Minas Ithil et la pierre qu'elle contient.

2063-2460 : la Paix Vigilante. Sauron se cache dans l'Est mais les loups descendent des montagnes et font des ravages.

2750 : le mage Saroumane s'établit à Orthanc : il se croit assez fort pour étudier sans danger les voies de l'Ombre... et tombe peu à peu sous son emprise. Quand il se sert imprudemment de la pierre de vision, Sauron influence son esprit.

2845 : Thrain, roi des Nains, est capturé par Sauron ; ainsi se perd le dernier des Sept Anneaux. Le mage Gandalf découvre la véritable identité du maître de Dol Guldur ; le Conseil Blanc, union des Mages et des seigneurs elfes, expulse Sauron en 2941.

2951 : Sauron reprend Dol Guldur et fortifie Barad-Dûr.

3018-3019 : Sauron et Saroumane sont définitivement vaincus.

Et l'Anneau ?

Fait par le Malin, il ne peut qu'attirer le Mal sur qui le porte sauf si son cœur est pur et sa conduite totalement désintéressée. Ainsi Isildur, qui l'a gardé par ambition, est-il tué par des Orques aux Champs d'Iris. L'Anneau tombe au fond de la rivière.

2463 : un Hobbit, Déagol, trouve dans l'eau l'Anneau ; son cousin, Sméagol, le tue pour le lui voler. Sméagol devient Gollum.

Vers 2900 : Sauron, puis Saroumane apprennent que l'Anneau a réapparu et se mettent à le rechercher.

2941 : Bilbo récupère l'Anneau[1] et le garde à l'insu de tous pendant soixante ans.

Ici commence *Le Seigneur des Anneaux*.

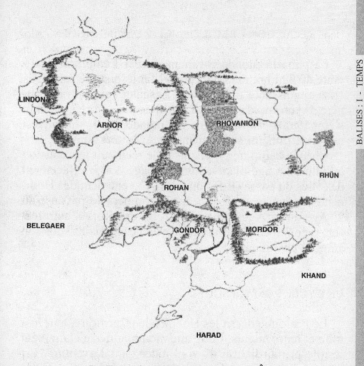

La Terre du Milieu au Troisième Âge :
les régions du Nord-Ouest

1. Lire *Bilbo le Hobbit*.

LE SEIGNEUR DES ANNEAUX, TRAGÉDIE À FIN HEUREUSE

UNITÉ D'ACTION ET MULTIPLICITÉ DES INTRIGUES

La paix du monde est menacée par l'ambition dévorante de Sauron, incarnation du Mal. L'histoire retrace la crise angoissante où tout peut basculer : si Sauron récupère l'Anneau de pouvoir qu'il a jadis forgé, la nuit s'emparera définitivement du monde. Si l'Anneau est détruit, l'Ennemi sera anéanti et Arda sera sauvée.

Chaque camp a ses tenants et le récit suit leur destin : la lutte du mage blanc contre le mage noir, l'effacement des êtres du passé (Elfes ou Ents), l'avènement des Hommes. La guerre de l'Anneau déterminera le passage du 3e Âge au 4e Âge. L'héritier secret des Rois d'autrefois sera reconnu et réunifiera les royaumes humains sous son autorité charismatique.

UN CYCLE ROMANESQUE

Le Prologue décrit les Hobbits, leur territoire, leur histoire et leurs mœurs. Cette attention manifeste clairement le rôle primordial qu'ils vont jouer dans l'aventure. Est résumé aussi l'épisode précédent, c'est-à-dire la geste de Bilbo le Hobbit, et la façon dont, en 2941, l'Anneau est tombé entre ses mains. Soixante ans après, l'histoire débute.

	Livre I 1-3	4-9	10-12	Livre II 1-5	6-10
Frodon					
Sam					
Gandalf					
Pippin					
Merry					
Aragorn					
Legolas					
Gimli					
Boromir					

Dans les livres I et II, sur l'initiative de Gandalf, la communauté de l'Anneau se forme peu à peu autour du tandem Frodon-Sam. Mais bientôt la tragédie réduit leur troupe : Gandalf disparaît dans une lutte héroïque ; plus tard, Boromir meurt au combat.

Le déroulement du temps est généralement linéaire[1].

	Livre III				IV	V								VI		
	1-2	3-4	5-7	8-11		1	2	3	4	5	6	7	8-9	1-3	4-5	6-9
Frodon																
Sam																
Gandalf																
Pippin																
Merry																
Aragorn																
Legolas																
Gimli																

Frodon et Sam ont dû partir seuls pour mener à bien leur mission, essentielle : la destruction de l'Anneau. Le récit met en scène leur quête dans les livres IV et VI.

Les autres Compagnons poursuivent parallèlement leurs aventures. Ils sont accidentellement séparés par l'enlèvement de Merry et de Pippin ; le livre III suit les

---

1. Quelques retours en arrière seulement pour expliquer la longue absence de Gandalf et exposer plus amplement les origines de l'Anneau.

aventures des deux Hobbits et leur recherche par leurs compagnons. Gandalf réapparaît miraculeusement. De belles victoires marquent à la fin du livre les retrouvailles des Six. Puis le groupe éclate à nouveau : tous partagent un même but, la lutte contre Sauron, mais chacun a choisi sa voie. Trois gestes guerrières se distinguent : Pippin se met au service de Denethor ; Merry devient le féal de Théoden ; les trois autres Compagnons, Aragorn, Gimli et Legolas, partent rallier des troupes amies. De grandes batailles les rassemblent et donnent aux uns et aux autres l'occasion de brillants exploits. Leurs engagements sont nécessaires pour contenir l'avance des forces mauvaises et aident Frodon et Sam en détournant l'attention d'eux, mais tous savent que la victoire finale dépend de ceux-ci.

Tous les Compagnons se retrouvent dans la gloire du triomphe et la célébration des héros. De grandes fêtes réunissent Elfes et Hommes pour le couronnement du Roi retrouvé, puis pour le mariage d'Aragorn et d'Arwen, signe de l'Alliance des deux peuples.

Le mouvement initial s'inverse, les Hobbits retournent seuls en Comté. Or, pendant leur absence, les forces mauvaises ont altéré leur région. Ainsi l'Histoire se reproduit en mineur, dans une tonalité plus familière. Il faut qu'à leur échelle, les Hobbits organisent la résistance et le combat. Et à leur tour ils peuvent célébrer les fêtes du renouveau.

Enfin un épilogue répond au prologue. Les êtres de la légende quittent la Terre du Milieu pour habiter le paradis d'au-delà des mers. Le 4e Âge, celui des Hommes, peut commencer.

UN SI LONG VOYAGE

Les héros du roman traversent, dans leur quête et leurs combats, les régions qui occupent l'ouest de la Terre du Milieu : par air ou par eau, mais le plus souvent par terre, ils parcourent des centaines de lieues dans des conditions souvent pénibles et dangereuses. À leur suite, le lecteur explore des contrées imaginaires, terrifiantes ou merveilleuses. Des cartes sont indispensables pour suivre ces itinéraires complexes.

Le trajet du récit est circulaire : le prologue est centré sur la Comté, Frodon et ses compagnons Hobbits partent de la Comté et reviennent en Comté, leur mission accomplie. L'épilogue ouvre les perspectives sur un autre monde, celui des dieux, à l'ouest.

Longues chevauchées et marches interminables, tel est le lot quotidien des personnages. Tolkien décrit précisément les paysages traversés dans leur diversité et accorde parfois aux héros des vues étendues qui portent le regard jusqu'à l'horizon, embrassent une région singulière et dessinent la route prochaine... et ses menaces. En quelques lieux, havres de paix ou sites de batailles, terres du rêve, de l'aventure médiévale ou du cauchemar, les personnages s'arrêtent assez pour connaître des expériences plus intenses [1].

Parcours aller – livre I ▶						
Comté Cul-de-Sac le pont sur le Brandevin	la Vieille Forêt les Hauts des Galgals	Bree	Amon Sûl	Fondcombe	Caradhras la Moria la Lórien	Descente de l'Anduin
le pont Comté Cul-de-Sac		Bree		Fondcombe	Aux portes de la Moria	Remontée vers le Nord par le pays de Dûn
Parcours retour – livre VI, chapitres 6 et 7 ◀						

1. Ces lieux sont décrits dans le chapitre « Là où habitent les Peuples Libres », p. 55.

Parcours aller des six Compagnons – livres III, V et VI ▶				
Fangorn	Edoras Helm Orthanc	Minas Tirith	Porte Nord du Mordor	
	Edoras Helm Orthanc	Minas Tirith	Porte Nord du Mordor	
Parcours retour – livre VI, chapitres 5 et 6 ◀				

L'itinéraire de Frodon et de Sam diffère à partir de la fin du livre I ; il les mène jusqu'au cœur de Mordor au livre VI.

D'ÉTONNANTES RENCONTRES

La Terre du Milieu est peuplée de créatures plus ou moins proches de l'humain standard. Tolkien accentue la diversité des races et civilisations qu'il crée [1]. Les héros les croisent et apprennent peu à peu à les connaître. Souvent des rumeurs précèdent la rencontre et nourrissent des préjugés, si bien qu'elles suscitent d'avance fascination et admiration, ou méfiance et angoisse. Parfois la créature est entendue ou vue de loin, bien avant d'entrer en contact direct avec le personnage, ce qui accroît la tension [2].

Le récit fait découvrir successivement les êtres qui habitent ou hantent les territoires traversés : les Hobbits et les Mages, les Nazgûl, les Ouargues, les Elfes et les Nains, les Orques et le Balrog, les Ents et les Huorns, les chevaux et les Aigles. Les Hommes, peu nombreux au début du voyage, prennent ensuite une place majeure qui annonce leur domination au 4e Âge ; ils sont issus d'origines et de régions diverses : Rôdeurs descendants

1. Ces races sont présentées pp. 83-130.
2. Se reporter aux quelques remarques des pages 202-203 sur les surprises du récit.

des Dúnedain, Cavaliers de Rohan, guerriers de Gondor, sauvages des Forêts, Suderons, Esterlins.

Chaque peuple est représenté par des personnages plus individualisés. Souverains ou simples sujets, ils bénéficient d'une identité, d'une fonction et interviennent plus ou moins longuement dans l'action. L'abondance de ces figures de premier ou deuxième plan anime le récit... et peut perturber le lecteur, étourdi par une onomastique inventive [1].

Voici la distribution des principaux rôles par ordre d'entrée en scène :

En Comté	Dans la Vieille Forêt	À Bree	À Fondcombe	En Lórien
Bilbon et Gandalf Frodon et Sam Merry et Pippin	Tom Bombadil et Baie d'Or	Aragorn	Elrond et Arwen Gimli, Legolas et Boromir	Celeborn et Galadriel

Ces personnages se rencontrent dans les livres I et II qui correspondent au film de P. Jackson sorti en 2001.

En ou près de Fangorn	À Edoras	À Orthanc	Dans les Marais des Morts	En Ithilien	À Cirith Ungol, porte de Mordor
Sylvebarbe Eomer	Théoden Eowyn Gríma	Saroumane	Gollum	Faramir	Arachne

Personnages rencontrés aux livres III et IV que devrait illustrer le deuxième film de P. Jackson, dont la sortie est annoncée en France pour fin 2002.

1. Un index des personnages (p. 245) peut aider à se repérer. D'autre part, des portraits des principaux personnages sont proposés en p. 36. Plusieurs sites Internet (signalés p. 239) fournissent des références très complètes.

À Minas Tirith	À Edoras	Sur le champ de bataille du Pelennor	Sur le champ de bataille de la Morannon
Denethor Imrahil	Les fils d'Elrond	Le Roi-Sorcier	Bouche-de-Sauron
Personnages qui apparaissent dans les livres V et VI.			

CALENDRIER DE L'HISTOIRE[1]

2941 – 3001 : années pendant lesquelles Bilbon garde l'Anneau caché à Cul-de-Sac.
22 septembre 3001 : 111e anniversaire de Bilbon, qui quitte la Comté pour Fondcombe.

3018 :
Avril : visite de Gandalf à Frodon ; révélations sur l'Anneau, mise en place du projet.
22 septembre : Frodon part de la Comté, l'aventure commence.

23 septembre au 25 octobre : voyage des Hobbits et d'Aragorn vers **Fondcombe** (livre I).
Armes des Galgals, bataille de l'Amon Sûl et première blessure de Frodon, bataille du Gué, Conseil d'Elrond, formation de la Compagnie de l'Anneau, armes données à Frodon par Bilbon.

25 décembre 3018 au 26 février 3019 : voyage de la Compagnie jusqu'à **Parth Galen** (livre II).

1. On se souviendra que le récit ne suit pas constamment le parcours chronologique, parce qu'il lui faut rendre compte d'événements simultanés, ce qu'il ne peut faire que successivement, et aussi parce que Tolkien ménage quelques suspenses dont l'explication n'est révélée que bien plus tard. Ce calendrier note les événements clés du récit. Pour un compte rendu plus détaillé, se reporter aux Annexes à la fin du tome III du *Seigneur des Anneaux*.

Bataille de la Moria, dons de Galadriel en Lórien, Frodon attaqué par Boromir ; la Compagnie est séparée.

26 février au 5 mars : des rives de l'Anduin à **Orthanc** (livre III).
- Merry et Pippin, enlevés par des Orques, s'échappent. En Fangorn, ils rencontrent les Ents qui décident une marche contre Isengard (2 mars). Ils détruisent Isengard (3 mars).
- Aragorn, Gimli et Legolas suivent leur trace, rencontrent Eomer qui a vaincu les Orques.

1er mars : ils retrouvent Gandalf. Ils rallient à leur cause le roi de Rohan, Théoden.

4 mars : bataille du gouffre de Helm.

5 mars : arrivée à Orthanc où ils retrouvent Merry et Pippin, et confirment la défaite de Saroumane.

26 février au 13 mars : des rives de l'Anduin à **Cirith Ungol** (livre IV).

Frodon et Sam franchissent l'Emyn Muil et les Marais des Morts (avec Gollum).

5 mars : ils reculent devant la Porte Noire du Morannon, Cirith Gorgor, et redescendent vers le sud par l'Ithilien où ils rencontrent Faramir. Ils le quittent le 8 mars, à Henneth Annûn.

10 mars : à la Croisée des Chemins, Frodon voit passer l'armée de Morgul. Ils gagnent, au-dessus de Minas Morgul, la passe de Cirith Ungol.

12 mars : piège de Gollum et bataille contre l'Araignée. Elle empoisonne Frodon, Sam le croit mort et blesse grièvement Arachne. Frodon est fait prisonnier par les Orques, il vit encore...

5 au 15 mars - Tous à Minas Tirith ! (livre V)
- 5 au 9 mars : chevauchée rapide de Gandalf et Pippin jusqu'à Minas Tirith, méfiance de Denethor. Le

10 mars, près de Minas Tirith, Gandalf sauve Faramir des Nazgûl.

13 mars : le Pelennor est envahi, Faramir est blessé.

14 mars : Minas Tirith est assiégée.

– 9 au 15 mars : Théoden rassemble l'armée de Rohan à Dunharrow et chevauche au plus vite, grâce à l'aide des Drúadan, vers Minas Tirith.

– Aragorn, Gimli et Legolas sont rejoints par une troupe de Rôdeurs et par les fils d'Elrond.

8 mars : la Compagnie grise emprunte à Dunharrow le « chemin des morts » pour traverser la montagne et gagner la côte sud.

13 mars : Aragorn s'empare de la flotte des pirates à Pelargir et remonte l'Anduin avec des renforts jusqu'à Minas Tirith.

15 mars

– **la bataille du Pelennor** : Théoden est tué par le Roi-Sorcier. Eowyn et Merry tuent celui-ci, mais sont gravement blessés. Tous les alliés combattent ardemment et repoussent les ennemis.

– Frodon et Sam parviennent à s'échapper de la Tour ; ils sont entrés en Mordor (livre VI).

15 au 25 mars : vers le Nord et le cœur du Mordor (livres V et VI).

– 18 mars : l'Armée d'Occident part de Minas Tirith. Elle traverse l'Ithilien et atteint les landes du Morannon.

25 mars : le défi du Roi et l'ultimatum de Bouche-de-Sauron ; exhibition des dépouilles de Frodon ; ouverture de la Porte Noire, début d'une bataille désespérée (fin du livre V).

– Frodon et Sam vont vers le Nord, à travers le Morgai et l'Isenmouthe. Le 18 mars, ils sont pris par des Orques, mais ils s'échappent et se dirigent vers Barad-Dûr. Le 22, ils obliquent vers le Sud. Le

24 mars, ils commencent l'escalade de l'Orodruin, le Mont du Destin.

25 mars : Gollum arrache le doigt de Frodon et tombe avec l'Anneau dans les **Crevasses du Destin – la Quête est achevée.**

26 mars au 6 avril : les victoires.
Galadriel purifie Dol Guldur, Thranduil libère la Forêt Noire qui devient le « Bois aux vertes feuilles », les rois des Nains et des Hommes libèrent Erebor, le Mont Solitaire.

D'avril à août : fêtes et triomphes.
8 avril : célébration des Porteurs de l'Anneau.
1er mai : couronnement du Roi Elessar (Aragorn).
Solstice d'été : mariage d'Aragorn et d'Arwen.
10 août : funérailles de Théoden.

D'août à octobre : le temps des adieux ; cortège vers le nord et séparation des Compagnons.

1er au 3 novembre : la reconquête de la Comté par les Hobbits.

3020 : renaissance de la Comté et maladies de Frodon.

Septembre 3021 : le Grand Départ : Frodon part vers l'Ouest avec les Elfes.
Soixante ans après, au terme d'une longue vie heureuse, Sam partira à son tour vers l'Ouest, que rejoindront aussi Gimli et Legolas. Aragorn et Arwen mourront cent vingt ans plus tard, après avoir instauré les royaumes du 4e Âge.

LES CHOIX DU FILM

Le film de Peter Jackson[1] témoigne d'une connaissance approfondie de l'œuvre par le réalisateur et ses collaborateurs. Ils se sont heurtés à une difficulté majeure : comment faire entrer cet univers si foisonnant dans le cadre malgré tout restreint de quelques heures de projection ? Ils l'ont résolue de façon convaincante. Certes il leur a fallu faire des choix et tout fanatique de Tolkien s'indignera bien sûr de telle ou telle suppression. Mais l'ensemble du scénario respecte l'histoire du tome I[2] en pratiquant quelques aménagements[3].

Ouvrir le film par un rappel du passé est à double titre judicieux. *Le Seigneur des Anneaux* s'inscrit dans l'Histoire d'un univers, il faut lui garder cette profondeur de champ que les flash-back des récits rapportés confèrent au roman. La représentation de la Bataille finale du 2e Âge (en 3441, elle oppose Sauron à la Dernière Alliance des Elfes et des Hommes) s'avère nécessaire aussi sur le plan dramatique : le spectateur assiste à la défaite de Sauron[4] et à la prise de l'Anneau par Isildur,

1. Il s'agit du premier épisode, seul sorti au moment de la parution de ce livre.
2. En empiétant légèrement sur le tome II.
3. Ce compte rendu rapide n'est évidemment pas exhaustif. La partie « Lire, re-vivre » (p. 234) revient sur la mise en images du roman : choix des lieux, des acteurs, des accessoires, et sur la fabrication du film.
4. On ne s'arrêtera pas sur des incertitudes dans la figuration de Sauron, quelque peu différente dans le livre.

ancêtre d'Aragorn. Il comprend vite par la mort de celui-ci que cet Anneau fatal ne peut amener que le malheur. Le récit qui suit est ainsi mis en perspective : l'Anneau constitue un enjeu décisif dans la lutte contre les forces du Mal, son pouvoir nocif est terrifiant.

La composition et les principales étapes de l'intrigue sont respectées. On regrettera cependant des allègements ou modifications qui altèrent le sens mythique et métaphysique. L'œuvre de Tolkien chante une nature heureuse, celle d'un paradis originel où les créatures vivent en harmonie avec les bois, les sources, les étoiles... Il était en cela gênant de supprimer totalement l'épisode de Tom Bombadil, ce génie joyeux qui incarne l'enfance et la vie du Monde. Tolkien montre aussi l'aspect inquiétant de forces naturelles incontrôlées qui se méfient des créatures bipèdes et les menacent : les arbres maléfiques de Tournesaules qui endorment et étouffent, le Caradhras qui s'oppose au passage ; attribuer cet incident à une manœuvre de l'Ennemi rétrécit l'épisode à la taille « humaine ». Dans tout le roman, la Vie naît de la Mort – ou, pour être plus explicite, tous les héros doivent traverser les épreuves de blessures mortelles afin d'en ressortir épurés et grandis. Le récit est donc ponctué par ces « morts » successives. Or le film élude la première étape de qualification : les Hauts des Galgals (décrits au chapitre VIII). Ce qui crée de surcroît une incohérence dramatique puisque c'est là que les Hobbits, de façon très symbolique, trouvent leurs armes.

Il fallait comprimer l'espace et le temps : au début du film, les visites de Gandalf à Cul-de-Sac se succèdent alors que dix-sept ans sont censés s'écouler entre les deux passages et quelques mésaventures du Mage que le roman retrace plus tard. Soixante-quinze milles séparent Bree de la Comté et les Hobbits du film semblent les parcourir en moins d'une nuit. Il fallait éluder les particularités qui auraient exigé des explications encyclopédiques : le roman peut s'attarder sur la longévité des différentes races qui explique que Frodon à 50 ans sorte à peine de l'adolescence et qu'Aragorn à 87 ans soit dans la force de l'âge ; le film se contente de les rajeunir. Les Orques [1] de Saroumane portent la rune « S » sur leur casque ; P. Jackson leur attribue le signe plus évident de la Main Blanche qui existe aussi dans le roman. Le réalisateur a dû sabrer quelques-uns des personnages secondaires dont le roman fourmille ou il les fait apparaître discrètement sans les nommer : on aperçoit Elendil à côté d'Isildur dans la bataille (mais il faut se reporter au roman pour comprendre l'importance de ce modèle mythique pour Aragorn), un vieux Nain accompagne bien Gimli à Fondcombe sans qu'on sache qu'il s'agit de son père Glóin. Le film efface Radagast le troisième Mage, ou le seigneur Glorfindel de Fondcombe. On saisit bien pourquoi il est remplacé, dans l'épisode très « photogénique » des gués du Bruinen, par Arwen. Pour le cinéma, *Le Seigneur des Anneaux* donne une place trop exclusive aux hommes ; il convenait d'amplifier le rôle de l'héroïne. Ses amours avec Aragorn sont révélées plus tôt que dans le roman : c'est à lui qu'elle offre le pendentif qu'elle donne à Frodon dans le livre [2]. Il faut bien faire vibrer la corde romantique !

Autre ajout, mineur celui-là : P. Jackson donne un chef, Lurtz, au groupe d'Orques qui tue Boromir, alors que les deux chefs de la bande, Grishnákh et Ouglouk, ne sont nommés dans le livre qu'ensuite, lors de leurs disputes. Une façon peut-être de valoriser les duels menés par Boromir, puis par Aragorn. La mort courageuse de Boromir, certes, le rachète chez Tolkien, mais elle ne prend pas la couleur épique qu'elle a gagnée dans le film : Boromir apparaît comme un héros d'épopée, une sorte de Roland qui meurt sur son épée et que vient venger son souverain et ami, tel Charlemagne dans la Chan-

1. Quelques incertitudes d'ailleurs dans la fabrication des Orques où le film ne distingue pas bien les créations de Sauron et celles de Saroumane.

2. Dans le roman, elle envoie à Aragorn une broche ornée d'une grosse émeraude, Elessar, la « pierre elfique » qui donne son nom de souverain au Dúnadan.

son. Il faudra attendre la suite pour saisir l'intérêt d'une autre modification : Aragorn, dans le film, dit avoir renoncé au trône ; dans le livre, il est l'héritier caché qui attend son heure pour se révéler au monde et revendiquer son pouvoir. Or le secret a son importance dramatique, et le parallèle avec la légende arthurienne[1] une signification.

P. Jackson enfin relève et épice l'action. Il insiste sur les moments d'horreur, exhibe avec une certaine complaisance les monstres visqueux, mais semble moins à l'aise pour exalter les lieux merveilleux et les êtres parfaits qui paraissent plutôt fades que purs... Le roman alterne phases de tension et plages de calme ; le film ne garde pas ce rythme sage, qui offraient aux personnages des repos réparateurs, et aux lecteurs des pauses agréables. Au point de vue du sens aussi, comment comprendre la nostalgie et le désir de retrouver une terre de paix, si des séjours dans des oasis préservées n'en rappellent la Beauté ? Dans le film, les passages à Fondcombe et en Lórien ne durent pas assez longtemps pour que l'on respire cet air du Paradis. Les scènes de batailles se prolongent. Le spectateur, soumis à rude épreuve, s'accroche anxieux à son fauteuil... Les moments d'angoisse sont, il faut le dire, particulièrement réussis : l'approche des Nazgûl, la progression dans les majestueuses ténèbres de la Moria ou la poursuite par le Balrog et les armées obscures. Le film pourtant donne abusivement l'impression d'un galop constant – les héros avancent aussi au rythme de la marche...

Mais la réalisation s'est attachée à restituer le plus fidèlement possible cet univers si singulier. Les décors ont été choisis de concert avec de grands illustrateurs de Tolkien ; les langages, la prononciation des noms ont été soigneusement étudiés : Arwen prononce même en elfique sans traduction la formule de conjuration des eaux ! Le film a la coquetterie de glisser quelques clins d'œil complices au lecteur averti qui reconnaît en arrière-fond

1. Voir p. 199.

des détails du roman, peu compréhensibles au spectateur novice : il y a des judas pratiqués à deux hauteurs dans la porte de Bree, or le roman signale que c'est une cité mixte, partagée entre Hommes et Hobbits ; on aperçoit trois Trolls de pierre ; Saroumane bute sur le terme qui désigne la cité des Nains en Moria, Khazâd-Dûm, or le livre précise que les autres races ont du mal à prononcer les noms khuzduls.

II – ESPACE

Tolkien évoque dans *Le Silmarillion* la genèse du monde et dit comment du Vide un univers est né. Il ne décrit pas de lointaines galaxies, ni des espaces interstellaires, mais, comme les Valar, il descend sur une petite planète, **Arda**, dont le nom et la configuration peuvent rappeler la Terre. Arda ne s'est pas faite en un jour. Les récits mythologiques de Tolkien illustrent sa transformation.

ARDA, DES ORIGINES AU 3ᵉ ÂGE ·

L'idéal de la divinité était une planète d'une parfaite symétrie, de forme circulaire, de climat tempéré, totalement plate, où toutes choses auraient connu une douce et belle unité. Mais, dès avant la naissance d'Arda, les altérations apportées par Melkor, le dieu rebelle, à la « musique des sphères [1] » ont perturbé ce plan. Les cataclysmes successifs, dus aux interventions des forces mauvaises et à la lutte nécessaire contre elles, ne vont cesser d'aggraver les déséquilibres.

Arda [2] est d'abord une sorte de disque entouré par l'anneau de la Mer extérieure, elle-même cernée par les

1. Voir p. 19.
2. Tolkien revient peu sur les Mondes perdus et en a donné des schémas peu nombreux et parfois contradictoires. Il est donc assez difficile de se représenter exactement Arda en ces temps primitifs. Les cartes pp. 46-47 proposent des possibilités.

Remparts de la nuit. Deux vastes continents, Aman à l'Ouest et Endor au centre, s'y étendent, séparés par Belegaer, la Grande Mer. Les Valar séjournent au centre d'Endor, Morgoth s'est retranché au Nord dans la place forte d'Utumno.

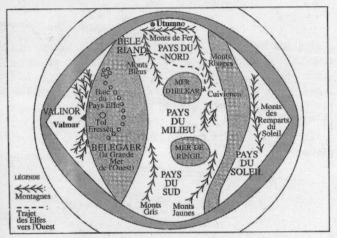

« Aspect du Monde en l'an 500 des Valar »
(après la chute des Lampes et la première fortification du Nord par Melkor). Carte 4 de *L'Ambarkanta*[1].

Le premier cataclysme élargit Belegaer et éloigne Aman d'Endor. Les dieux habitent désormais en Aman, au-delà des montagnes, le pays de Valinor. Les Elfes habitent en Aman, la côte Est en deçà des montagnes et les îles, ou en Endor les régions du Beleriand, situées sur la côte Ouest.

Au 2e Âge, Aman est encore davantage isolé du monde des créatures (il est interdit d'y aborder) et l'île de Númenor est créée pour récompenser les Hommes qui ont aidé les dieux et les Elfes contre Morgoth : elle se situe dans Belegaer, à mi-chemin entre Endor et Aman. Les terres

1. Récit de la Création, publié dans *The History of Middle Earth*, t. IV.

du Beleriand, mis à part le Lindon, disparaissent sous les flots purificateurs.

En l'an 3319, se passe le Grand Changement du Monde : Arda devient sphérique. Aman est radicalement arraché au monde matériel et ne sera plus accessible que par une démarche spirituelle (la Voie droite). Númenor est engloutie.

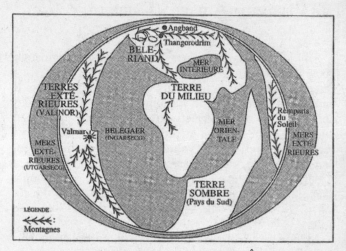

« Aspect du Monde au Premier Âge »
extrait de *L'Ambarkanta* : « Après la guerre des dieux ».

Dans ces premiers temps d'Arda, la mer avec ses tempêtes et ses navigations occupe une large place. Elle effraie et fascine les héros des histoires.

Les Hommes du 3e Âge ont tout à fait oublié cette géographie ancienne d'Arda et pour eux, les Mondes perdus n'existent que dans les légendes, ils ne croient pas à leur réalité. Les récits du 3e Âge se déroulent exclusivement en Endor, la Terre du Milieu. Au fur et à mesure des bouleversements, le visage de ce continent s'est modifié : il est désormais soulevé de montagnes et creusé de vallées qui jouent un rôle important dans le parcours romanesque.

LA TERRE DU MILIEU À LA FIN DU 3ᵉ ÂGE

Tolkien se singularise par sa prodigieuse imagination géographique. Au fil des longues années d'écriture, il ne cesse de compléter la topologie de la Terre du Milieu. Il éprouve, semble-t-il, une véritable jubilation à créer des noms : est-il un bosquet ou une source qui reste innommé ? Un site peut même être baptisé plusieurs fois car les noms reflètent l'évolution de son histoire. Le lecteur, émerveillé, s'égare parfois dans cette multiplicité ... À défaut d'un relevé exhaustif qu'on trouve par exemple dans le *Complete Guide to Middle Earth* de Foster (*cf.* p. 232), l'index de la p. 251 peut fournir une aide utile.

En bon géographe, Tolkien adore les cartes. Minutieusement il les dessine et les colorie, d'abord seul, puis avec l'aide de son fils Christopher. Cette passion est l'objet de vives et longues discussions avec son éditeur qui lui refuse la couleur. Comme les personnages et le narrateur indiquent soigneusement leurs trajets, il est vrai que le lecteur, un peu moins familier d'Endor, ressent désespérément le besoin d'une carte précise. Or le fourmillement des détails pose un problème de lisibilité ! Les passionnés auront plaisir à faire l'acquisition d'une carte grand format en couleurs [1]. Les cartes de cet ouvrage

---

1. Des cartes sont fournies avec certains livrets ou boîtes de jeux sur la Terre du Milieu. La plus accessible est celle de Brian Sibley aux éditions Christian Bourgois qui comporte de plus un livret explicatif sur quelques sites.

tâchent de donner les indications nécessaires, mais le format oblige à répartir les informations sur plusieurs schémas.

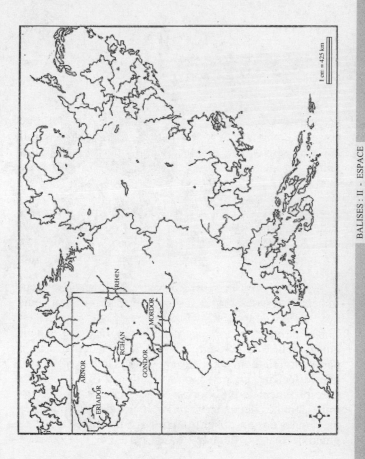

La Terre du Milieu au Troisième Âge
(carte simplifiée).

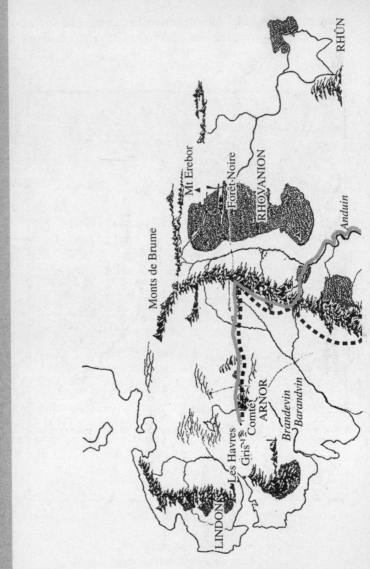

L'itinéraire du roman

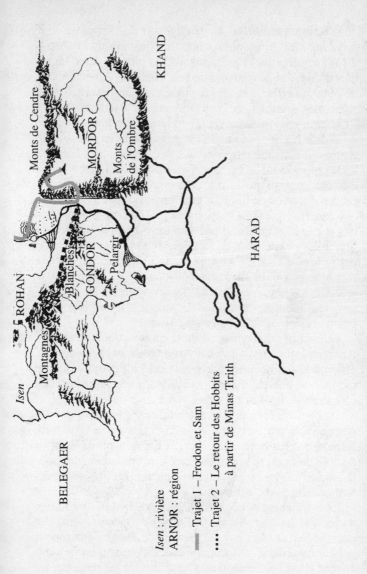

Isen : rivière
ARNOR : région

▬ Trajet 1 – Frodon et Sam

···· Trajet 2 – Le retour des Hobbits
à partir de Minas Tirith

à travers monts et rivières.

L'action de *Bilbo le Hobbit* et du *Seigneur des Anneaux* est cantonnée aux régions nord et ouest d'Endor, seules à être alors habitées par des êtres capables d'écrire et de transmettre leur Histoire. Aux environs de 3000 en effet, bien des étendues restent désertes. À la suite des guerres et des incursions menaçantes de l'Ennemi, les Hommes ont abandonné une grande partie du Nord. L'Est tout entier est passé sous le pouvoir de Sauron, il échappe à la connaissance des Peuples Libres : le Mordor, cette zone noire et dévastée que les héros n'atteindront qu'au livre VI (chapitres II et III), est hanté par les esclaves de Sauron, créatures souvent monstrueuses. Les Hommes qui y restent sont si complètement aliénés par le Mal qu'ils ne peuvent devenir personnages du roman ! La vaste forêt de Vertbois-le-Grand est en grande partie tombée sous l'emprise de l'Ombre, ce qu'indique son nouveau nom de Forêt Noire. Du Sud brûlé par le soleil, les régions du Harad, viendront des alliés de Sauron, les Suderons bariolés et sauvages, avec leurs oliphants (éléphants de Terre du Milieu).

L'itinéraire du roman est donc limité à quelques pays : il part de l'ancien royaume d'Arnor où se cache la Comté, effleure le Rhovanion, parcourt Gondor et Rohan ; deux incursions brèves mènent certains personnages sur les côtes sud et les Porteurs de l'Anneau en Mordor.

L'appel de la mer est entendu par quelques-uns des personnages qui, à la fin du récit ou un peu plus tard, rejoindront les ports : les Havres Gris au nord, Pelargir dans le delta de l'Anduin au sud, et s'embarqueront pour la grande traversée. Mais les aventuriers du 3ᵉ Âge arpentent des chemins terrestres.

Leur trajet est gêné par la hauteur des montagnes : une barre nord-sud, celle des Monts de Brume, peut être contournée au sud par la Trouée de Rohan mais pour gagner du temps, la Compagnie de l'Anneau, après avoir échoué dans l'ascension du Caradhras, la traverse par les galeries souterraines de la Moria. La barre est-ouest des

Montagnes Blanches est elle aussi franchie par un péril-leux passage souterrain, le Chemin des Morts. Les Por-teurs de l'Anneau se heurtent enfin aux chaînes abruptes qui enferment le Mordor : Monts de l'Ombre et Monts de Cendre. Seuls des défilés puissamment fortifiés, Cirith Gorgor au nord et Cirith Ungol à l'ouest donnent accès au pays noir.

De nombreux cours d'eau sillonnent les terres : les vallées facilitent le voyage (celle de l'Anduin occupe une place essentielle), le franchissement des rivières est plus problématique, d'où l'importance à la fois dramatique et symbolique des ponts et des gués.

LES LIEUX DU ROMAN

SUR LA ROUTE

Le Seigneur des Anneaux est un *road movie*, le film d'une folle équipée sur les routes du Monde. Tolkien note avec soin les vieilles routes qui traversent la Terre du Milieu, les axes qui s'ouvrent au déferlement des armées, mais pour la mission secrète des héros, elles constituent davantage un danger qu'une aide et ils les évitent la plupart du temps. Si les moments et les chemins calmes permettent le pas paisible des poneys, il faut les abandonner dès que le passage devient périlleux (la Moria). Comme la quête des Porteurs de l'Anneau doit passer inaperçue, ils empruntent d'invraisemblables pistes et souvent coupent à travers rochers, broussailles et marais, hors de tout sentier : Frodon et Sam ne peuvent donc se déplacer qu'à pied. Les aventures des autres héros, à partir du livre III, s'apparentent aux gestes médiévales, les chevaux y ont leur place. Des chevauchées fantastiques emportent Gandalf et Pippin, puis les Cavaliers de Rohan.

Le roman ouvre donc sur de vastes horizons : souvent les personnages, pour se repérer ou réfléchir, se postent sur des collines et regardent la région. Tolkien décrit ainsi les paysages les plus divers à travers les saisons. Une nature sauvage le plus souvent : landes autour de Bree, marais, montagnes couvertes de neige (Caradhras,

Celebdil) et à-pics vertigineux, plaines herbeuses du Rohan, vallées douces ou encaissées (au fil de l'Anduin par exemple). Surtout des bois et des forêts. Mais les paysages sont marqués par les créatures qui les peuplent et l'on reconnaît au premier coup d'œil les domaines bénis des Elfes ou les terres dévastées de l'Ennemi.

Les héros arrêtent parfois leur course. Moments de repos ou de préparatifs, lieux de combats ou d'emprisonnement. Ces sites, plus longuement présentés, font mieux connaître les peuples qui les ont aménagés.

Là où habitent les Peuples Libres	Là où domine l'Ennemi

– La Comté, terroir des Hobbits
– Les refuges des races anciennes
  • Domaines des Elfes
  • Forêts archaïques
  • L'ancienne cité des Nains
– Les royaumes des Hommes
  • Gondor Rohan
	L'Isengard
	Le Mordor

LÀ OÙ HABITENT LES PEUPLES LIBRES

La Comté, terroir des Hobbits

« Comme ils commençaient à gravir les premières pentes (de la Colline Verte), ils jetèrent un regard en arrière et virent scintiller dans le lointain les lampes de Hobbitebourg dans la douce vallée de l'Eau. Cette vue disparut soudain dans les plis du terrain obscurci et elle fut suivie de celle de Lézeau près de son étang gris. Quand la lumière de la dernière ferme fut loin derrière eux, perçant parmi les arbres, Frodon se retourna et agita la main en signe d'adieu.

« – Je me demande si je contemplerai jamais de nouveau cette vallée, dit-il tranquillement » (t. I, p. 103).

55

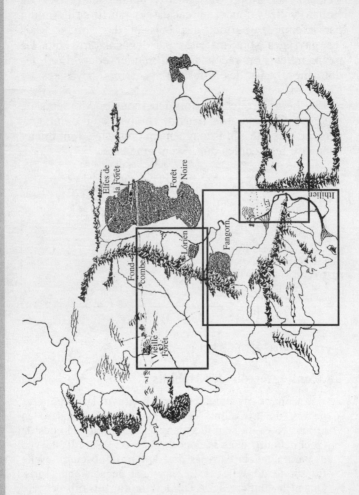

Lieux du roman : les Forêts
(et schéma de découpage des cartes suivantes).

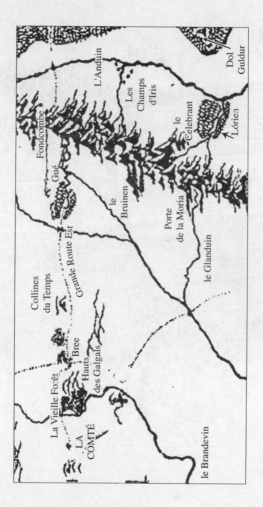

La Communauté de l'Anneau de la Comté à la Lórien :
le voyage des livres I et II.

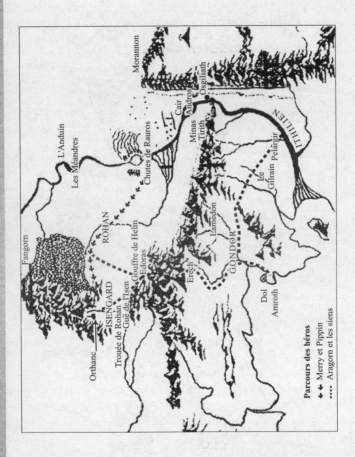

Gestes chevaleresques : les combats des livres III et V.

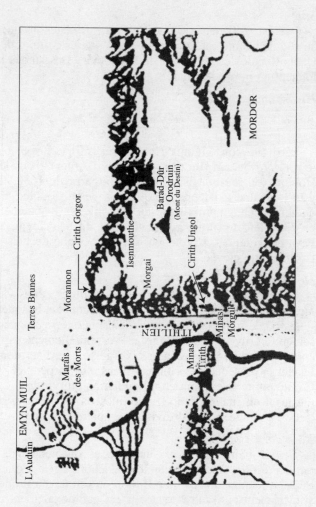

Héros solitaires : Frodon et Sam, de Parth Galen
au cœur du Mordor (livres IV et VI).

Situation

Petit coin oublié au nord-ouest d'Endor, en Eriador.

Site

Occupant 40 lieues d'ouest en est, 50 lieues du nord au sud, la Comté est limitée à l'ouest par les collines des Hauts Reculés et à l'est par le Brandevin. Des landes la longent au nord, des marais au sud.

Historique

2e Âge	3e Âge		4e Âge	

1630

Territoire concédé aux Hobbits en 1601 (3e Âge) par le roi d'Arthedain (un des royaumes d'Arnor). Tous les Hobbits (ou presque) s'y installent à partir de 1630. Ils y mènent une existence tranquille, à peine troublée par quelques fléaux naturels (peste, durs hivers). Ils étendent en 2340 leur territoire de l'autre côté du Brandevin, au Pays de Touque, et protègent cette « Marche de l'Est » par une haie élevée.

Description

Le paysage vert et vallonné – des collines et des vallées peu profondes, une plaine ponctuée de bosquets – laisse une impression de paix. C'est une terre soigneusement cultivée (l'économie est essentiellement agricole) : bocages, petits champs, vergers et jardins manifestent la présence des Hobbits. Sans être surpeuplée, la Comté abrite une nombreuse population qui vit dans des « trous » aménagés dans les collines ou des fermes au toit de chaume. Elle est divisée en quatre Quartiers.

Rôle dans l'action

Les Hobbits vivent en autarcie et ont tendance à oublier qu'il existe un monde en dehors de la Comté. Seuls, quelques-uns comme Bilbon ou son neveu Frodon s'intéressent aux autres races. C'est paradoxalement de ce lieu replié sur lui-même que vont partir les héros chargés de sauver du Mal le monde. La Comté est quittée à regret par les Hobbits qui ne cessent d'évoquer leur terre avec nostalgie.

Les Hobbits de l'expédition ne regagnent leur patrie qu'au livre VI (ch. VIII) pour la trouver ravagée. Ils libèrent, puis restaurent le pays.

Lieux nommés

Hobbitebourg, Cul-de-Sac, Creux-de-Crique, Lézeau, Châteaubouc, Château-Brande, Castelbois, Stock, Pays de Bouc, la Colline Verte, l'Eau, le Bout-des-Bois...

Quelques passages

T. 1, I, pp. 11, 14, 21, 41, 43, **103-106**, 139, et t. 3, VI, ch. VIII.

Les refuges des races anciennes

• Domaines des Elfes

Autrefois installés dans toutes les régions de la Terre du Milieu, les Elfes sont presque tous repartis au-delà des mers, à l'Ouest. Les peuples qui restent encore en Endor occupent des zones très limitées, perdues dans la nature sauvage. Au nord, une petite partie de la Forêt Noire échappe au pouvoir de l'Ennemi et est habitée par le peuple de Thranduil, les Elfes Sylvains (des Bois). Un des héros, Legolas, est fils de ce Thranduil. Leurs deux plus beaux domaines sont la vallée de Fondcombe et la forêt de la Lórien.

Fondcombe

Nom

Fondcombe est aussi appelée Imladris, « la vallée profonde de la Faille ».

Situation

Au nord-ouest des Monts de Brume, au nord-est du triangle formé par les rivières de la Fontgrise (Mitheithel) et de la Sonoronne (Bruinen).

Site

Une terrasse à mi-pente d'une vallée encaissée, dominée par des falaises et faisant face aux hauts pics de l'est[1].

Historique

2e Âge		3e Âge		4e Âge	

Cette vallée qui échappe aux regards jusqu'à la dernière minute a été découverte en 1697 (2e Âge) par Elrond qui y a bâti un refuge. Le pouvoir de son Anneau protège des Ennemis la vallée : Elrond peut provoquer une crue du Bruinen pour barrer le gué, ce qu'il fait pour sauver Frodon. Elrond quitte Fondcombe pour l'Ouest, à la fin de la Guerre de l'Anneau, avec la plupart des Elfes. Ses fils y demeurent ; on ne sait quand le site sera finalement abandonné.

Description

« Ils sortirent dans un jardin en terrasse au-dessus de la rive escarpée de la rivière. [...] Des ombres s'étaient étendues en bas dans la vallée, mais il y avait encore de la lumière sur les faces des montagnes qui les dominaient au loin. L'atmosphère était chaude. Le son de l'eau vive et des cascades retentissait, et le soir était empli d'une légère senteur d'arbres et de fleurs, comme si l'été s'attardait encore dans les jardins d'Elrond » (t. 1, II, p. 302).

La maison d'Elrond offre de partout des vues étendues sur la vallée et ses bois de pins, on y entend le bruit des eaux bouillonnantes du Bruinen. Le lieu semble bénéficier d'un climat particulier : à mesure que l'automne avance, la lumière passe de l'or à l'argent pâle. Chaque matin y est beau et clair, chaque soir frais et limpide. Une odeur salubre et légère y flotte.

La maison elle-même, qualifiée sobrement de « belle », n'est pas décrite : on sait seulement qu'outre des chambres avec vue et un porche ouvert pour les

1. Un dessin de Tolkien représente le site.

conseils, on s'y réunit pour les festins dans une grande salle et que la Salle du Feu, obscure, mais où est entretenu un feu perpétuel, est réservée aux occasions solennelles, pour les récits et les chants.

Rôle dans l'histoire

Elrond est depuis toujours engagé dans une lutte acharnée contre Sauron. Sa demeure sert d'abri à tous ceux qui veulent combattre le Mal. Il y accueille Bilbon et Gandalf. Il y tient des conseils regroupant des représentants des Peuples Libres. Ainsi c'est au Conseil d'Elrond qu'est décidée la destruction de l'Anneau.

Quelques passages

T. 1, II, pp. 293 à 374, surtout pp. **302**-303, 308, 310, 318, **319**, 320, 329, 365.

La Lórien

« Il lui semblait avoir passé par un pont de temps dans un coin des Jours Anciens et marcher à présent dans un monde qui n'était plus. À Fondcombe, il y avait le souvenir d'anciennes choses ; dans la Lórien, les anciennes choses vivaient encore dans le monde en éveil. [...] Les loups hurlaient à l'orée de la forêt ; mais dans la Lórien, nulle ombre ne s'étendait » (t. 1, II, p. 462).

Nom

D'abord Laurelindórinan, « pays de la vallée de l'or qui chante », puis Lothlórien, « pays de la floraison de rêve », enfin simplifié en Lórien, « pays de rêve » ; le lieu est aussi appelé, chez les Hommes, « forêt d'or », « pays caché », « vallée hantée ».

Situation

À l'ouest de la vallée de l'Anduin ; l'enclave s'étend en « fer de lance » au confluent du Celebrant, « cours d'argent », et de l'Anduin.

Site

Une vaste futaie de mellyrn, de 100 sur 200 km environ, bordée de rivières rapides et claires.

Historique

2e Âge		3e Âge	4e Âge

La Lórien a été découverte et peuplée par Galadriel au 2e Âge. Le pouvoir de son Anneau protège la forêt des incursions du Mal. Ce royaume elfe, gouverné par Galadriel et Celeborn, a fourni son aide à Elrond quand il en a été besoin aux 2e et 3e Âges. Il reste, sinon, à l'écart du monde extérieur. Après la chute de Sauron, les forces de la Lórien prennent et détruisent Dol Guldur. La Lórien est à peu près abandonnée à la fin du 3e Âge quand Galadriel part à l'Ouest.

Description

C'est l'unique endroit de Terre du Milieu qui ait préservé la beauté d'Eldamar, le pays des Elfes en Aman, et qui continue d'échapper à l'emprise du temps. On y ressent un tel bonheur serein qu'on a l'impression d'y passer un bref instant et une durée infinie. Les compagnons s'apercevront en quittant la Lórien qu'ils y ont vécu dans un temps parallèle : la lune n'a pas progressé.

L'accès de cette oasis magique est interdit à qui n'a pas le cœur pur et l'intention bonne : nul ne peut y pénétrer sans le consentement de Galadriel. Des ponts de cordes sont lancés par les Guetteurs pour faire franchir aux invités les eaux du Celebrant. Les Elfes y vivent cachés et retranchés du reste du monde ; ils ont tendance à se méfier de tous les étrangers, en particulier des Nains. De faux bruits courent en Gondor et en font un lieu périlleux ; en fait, seuls les méchants y périssent ! C'est un lieu enchanté et enchanteur que les chants elfes célèbrent sans fin ; « c'est comme être à la fois à la maison et en vacances », dit Sam de façon plus rustique.

Quand on y a passé, ne serait-ce que quelques jours,

on en garde au cœur l'éternelle nostalgie. On n'en sort pas indemne, précise Aragorn, mais profondément changé. Legolas en parle avec émotion :

« Nuls arbres ne ressemblent à ceux de cette terre. [... Au printemps,] les branches sont chargées de fleurs jaunes ; et le sol du bois est tout doré, dorée est la voûte et ses piliers sont d'argent, car l'écorce des arbres est lisse et grise » (t. 1, II, p. 444).

L'association du blanc argenté et de l'or pâle, dans les arbres comme dans les fleurs hivernales, *elanor* et *niphredil*, rappelle les deux arbres du paradis originel de Valinor, Telperion et Laurelin.

Les cités, Cerin Amroth (« verte cité ») et Caras Galadhon, la capitale, ne se distinguent pas de la forêt. Quand Frodon découvre Cerin Amroth, l'émerveillement lui coupe le souffle :

« À gauche s'élevait un grand tertre, couvert d'un tapis de gazon aussi vert que le printemps des temps anciens. Dessus, comme une double couronne, poussaient deux cercles d'arbres : ceux de l'extérieur avaient une écorce d'un blanc de neige [...] ; les arbres de l'intérieur étaient des mallornes de grande taille, encore revêtus d'or pâle. [...] L'herbe était parsemée de petites fleurs d'or en forme d'étoiles. Parmi elles, dansant sur de minces tiges, se voyaient d'autres fleurs, blanches ou d'un vert très pâle » (t. 1, II, p. 464).

Les Elfes ont audacieusement installé dans les arbres, des flets (talan), plates-formes sans murs ni balustrade ; les Hobbits se sentent mal à l'aise dans ces « lits-pigeonniers ».

« Les branches de mallorne poussaient presque droit, puis s'étalaient vers le haut ; mais près du sommet, la principale se partageait en maintes branches en couronne, et ils virent que parmi celles-ci avait été construite une plate-forme de bois ou *flet*, comme on appelait cela en ce temps-là ; les Elfes le nommaient *talan*. On y accédait par un trou circulaire ménagé au centre, par lequel passait l'échelle » (t. 1, II, p. 454).

Caras Galadhon, « la cité des arbres », suit les contours d'une colline. En haut de tous les escaliers, près d'une source éclairée par des lanternes d'argent, le plus grand des arbres porte le palais des souverains ; il faut grimper une interminable échelle blanche et traverser de nombreux flets avant de parvenir à une très grande hauteur sur « un large *talan*, semblable au pont d'un grand navire » (t. 1, II, p. 469), où s'élève une vaste demeure. La salle où Galadriel et Celeborn reçoivent leurs hôtes est ovale, emplie d'une douce lumière, les murs sont vert et argent, le toit d'or ; le tronc du mallorne, semblable à une colonne grise, en occupe le centre.

Rôle dans l'histoire

Les Compagnons de l'Anneau y arrivent épuisés et y séjournent un mois. Galadriel les observe et apprend à connaître leur cœur. Elle leur donnera des conseils, un peu énigmatiques au premier abord, mais qui se révèleront indispensables. De même chacun des présents ou des messages qu'elle donne alors ou transmet plus tard, s'avérera nécessaire. Elle montre à Sam et à Frodon des visions du passé, du présent et de l'avenir dans une vasque magique, le « Miroir de Galadriel ».

Quelques passages

T. 1, II, pp. 449 à 501, surtout pp. 444, 447, 450, 454, 462, 468.

• Forêts archaïques

Autrefois, une immense forêt recouvrait la Terre du Milieu. De cette végétation primitive, la Terre du 3ᵉ Âge garde deux vestiges, la Vieille Forêt aux abords de la Comté et Fangorn au sud-est des Monts de Brume.

Les Hobbits traversent la Vieille Forêt au début de leur expédition ; c'est leur première rencontre avec un autre monde, inquiétant et inconnu.

« Devant, ils ne voyaient que des troncs de dimensions et de formes innombrables : droits ou courbés, tordus, penchés, trapus ou minces, lisses ou noueux et branchus et tous les fûts étaient verts ou gris de mousse et d'excroissances visqueuses ou pelucheuses » (t. 1, I, pp. 155-156).

Les arbres semblent y bénéficier d'une vie propre et être animés de mauvaises intentions envers ces individus sans racines qui se promènent sous leurs ramures[1]. Les frondaisons épaisses cachent la vue du ciel. L'on dirait que les arbres se déplacent et se resserrent pour égarer les voyageurs ; plus loin, les saules tentent de les tuer en les endormant.

Fangorn

Nom

« Arbre barbu » ; c'est aussi le nom de son « chef », le plus vieux des Ents, que la traduction française a choisi d'appeler Sylvebarbe pour expliciter le sens de son nom.

Situation

Fangorn s'étend au sud-est des Monts de Brume.

Description

Cette forêt hirsute laisse une impression mêlée. Tantôt les créatures sont émerveillées par la force vitale qui imprègne ces bois verts, luisants, parcourus de sources. Tantôt elles y éprouvent un malaise car la forêt leur est étrangère, elle date de bien avant l'éveil des Hommes, puisqu'elle est l'une des « dernières places fortes des puissantes forêts des Jours Anciens » (t. 2, III, p. 52). Immensité obscure, peuplée d'arbres innombrables, couverts de feuilles sèches et de lichens qui pendent en barbes et moustaches inquiétantes, Fangorn semble hors d'âge.

---

1. Les pp. 225-226 se penchent sur la signification de ces lieux.

Rôle dans l'histoire

Fangorn jouit d'une fort mauvaise réputation chez toutes les créatures, aussi bien les Hommes que les Orques, car ceux qui y pénètrent disparaissent souvent mystérieusement. Merry et Pippin y échouent par hasard et par force au début du livre III ; ils y trouvent contre toute attente accueil et appui. Ils y découvrent en effet d'étranges créatures, les Ents [1], esprits des arbres, témoins d'un passé mythique. Les Ents se mettent en marche avec leurs troupeaux d'Huorns pour se joindre aux forces alliées contre le Mal.

L'Elfe Legolas voit dans cette forêt l'expression même du végétal, son élément, et y mène son ami Gimli à la fin du récit. Les deux jeunes Hobbits sont métamorphosés par leur séjour en Fangorn.

• L'ancienne cité des Nains

On rencontre peu de Nains dans *Le Seigneur des Anneaux* alors que le récit de *Bilbo le Hobbit* leur accordait davantage de place. C'est que, comme les Elfes, cette race très ancienne [2], tend à s'effacer de la Terre du Milieu pour laisser place aux Hommes. Mais, en traversant les Monts de Brume par la voie souterraine, la Compagnie de l'Anneau visite les ruines de Khazad-Dûm.

La Moria

Nom

« Puits noir » ; le nom de la cité Khazad-Dûm signifie simplement « demeure des Nains ».

Situation

Les galeries de la Moria s'étendent sous les plus hauts sommets des Monts de Brume, comme le Zirak-Zigil ; leurs dimensions dépassent l'imagination et plus aucun

1. Les Ents sont présentés p. 90.
2. Voir fiche p. 101.

vivant n'en connaît les méandres. Un passage traverse les Monts d'ouest en est, un autre débouche en haut sur les neiges éternelles ; on ne sait jusqu'à quelle profondeur descendent les galeries, mais elles s'ouvrent sur des gouffres inconnus qui semblent atteindre les entrailles de la terre.

Historique

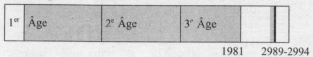

1ᵉʳ Âge	2ᵉ Âge	3ⁿ Âge	

1981   2989-2994

La Moria a été colonisée tôt dans le 1ᵉʳ Âge par le peuple de Durin, un des Rois des Nains. Pendant des siècles, les Nains n'ont cessé d'aménager et de creuser en exploitant les mines. Ils y ont découvert au 2ᵉ Âge un métal plus précieux que tous les autres, le mithril. Mais en voulant aller trop profond, en 1980 du 3ᵉ Âge, ils ont dérangé un monstre archaïque tapi dans les profondeurs, le Balrog. Celui-ci a causé de tels massacres que les Nains ont fui. Une brève tentative de réoccupation a eu lieu entre 2989 et 2994, mais les Nains ainsi que leur Roi, Balin, ont été massacrés par les Orques de Sauron. L'Ennemi est alors libre d'y installer ses créatures.

Description

« La Moria ! La Moria ! Merveille du monde septentrional ! », soupire Glóin (t. 1, II, p. 321), et en effet elle témoigne de l'habileté et de l'acharnement au travail des Nains.

Des portes permettent d'isoler la Moria du reste du monde. La porte Ouest est surveillée par une sorte de monstre aquatique, le Guetteur-de-l'Eau, et close par un mécanisme secret. Elle s'ouvre par « commande vocale », à la formule « Ami ! ». Les Compagnons n'entreverront qu'une faible partie de cet univers sombre, chaud, mais bien ventilé par des bouches d'aération. Autrefois, de grandes fenêtres perçaient la montagne, la cité était remplie de lumière grâce à des lampes de cristal ; aujourd'hui, tout n'y est que ténèbres.

« Dans le pâle rayonnement du bâton du magicien, Frodon avait des aperçus d'escaliers et d'arcs, d'autres passages et de tunnels, montant en pente douce ou descendant fortement, ou encore ouvrant sur les ténèbres d'un côté ou de l'autre. »

« Ils virent haut au-dessus de leurs têtes une vaste voûte soutenue par de nombreux et puissants piliers taillés dans la pierre. Devant eux, de part et d'autre, s'étendait une immense salle vide ; les murs noirs, lisses et polis étincelaient et scintillaient. Ils virent trois autres entrées en forme d'arches noires. »

« Dans cette autre salle caverneuse, plus haute et beaucoup plus longue, s'élevait une double rangée de majestueux piliers. Ils étaient taillés en forme de fûts de puissants arbres, dont les branches soutenaient la voûte d'un réseau de nervures de pierre » (t. 1, II, pp. 412-413, 418 et 435).

Les Compagnons s'arrêtent pour la nuit, d'abord dans une salle des gardes, puis dans une vaste salle carrée éclairée par un puits de lumière, la Salle des Archives. Là gît le Roi Balin dans un tombeau blanc. Ils traversent dans leur fuite de vastes salles, des ponts de pierre, des arches...

Rôle dans l'histoire

En 3019, la Compagnie de l'Anneau est obligée d'emprunter le passage de la Moria parce que les hauts cols du Caradhras interdisent l'escalade. Elle le fait avec réticence car elle craint de s'égarer dans les innombrables couloirs. Gandalf les guide assez sûrement. Pippin jette inconsidérément une pierre dans un puits et alerte ainsi les ennemis. Le lendemain, dans la Salle des Archives, ossements et manuscrit permettent aux compagnons de reconstituer la dernière bataille où Balin et ses sujets ont succombé à l'assaut des Orques. Les compagnons devront y affronter à leur tour une armée de Trolls, d'Orques et d'Ourouks. Ils fuient ensuite devant eux et devant le feu qui les cerne. Au moment de s'échapper, en s'engageant sur une arche au-dessus d'un abîme, ils sont rejoints par le Balrog. Gandalf se sacrifie pour le retenir et poursuit un duel terrifiant dans les profondeurs. Le lecteur n'en connaîtra l'issue que vers la fin du livre III en même temps qu'Aragorn, Gimli et Legolas. Les Compagnons restants sortent par les Grandes Portes Ouest, dans la vallée des Rigoles Sombres.

Quelques passages
T. 1, II, pp. 403 à 440.

Les royaumes des Hommes

Le royaume du Nord, l'Arnor, s'est effondré. Des Hommes qui habitent à l'ouest des Monts de Brume, autour de la Comté, les Hobbits n'approchent qu'un village, **Bree**[1], avec ses ruelles et ses maisons familières, son auberge accueillante surtout. La hauteur des murs qui l'enserrent et la vigilance aux portes rappellent que la danger rôde alentour.

Les livres III et V suivent la Compagnie grise dans la société féodale des Hommes de Rohan et de Gondor. Les souverains y habitent des châteaux forts, bien situés et défendus. En dehors de ces villes hissées au flanc des montagnes, de vastes étendues restent à peu près sauvages : herbages du Rohan, forêt de l'Ithilien.

• Rohan

Cette royauté traditionnelle a installé ses places fortes sur sa frontière Sud, adossée aux Montagnes Blanches.

Edoras, sa capitale, est édifiée sur une colline verte, au débouché du vallon de la Rivière des Neiges (Snowbourn). Bien défendue par un rempart, un fossé et une

1. T. 1, I, pp. 13, 202, 204, 206.

clôture d'épines, elle est surmontée par le château de Meduseld. Son toit et les montants de ses portes sont d'or et brillent de loin. En entrant dans la cité aux maisons de bois, on grimpe une large rue pavée, interrompue par de nombreux escaliers, longée par un ruisseau murmurant ; il descend d'un large bassin qu'alimente une source claire jaillissant d'une pierre sculptée à l'effigie d'une tête de cheval. Tout en haut une terrasse porte le palais. À l'intérieur, la salle du trône, fort vaste, est couronnée d'une haute voûte, reposant sur de puissants piliers ; lieu obscur traversé de rais de lumière.

« Le sol était dallé de pierres de multiples couleurs ; des runes ramifiées et d'étranges emblèmes s'entrelaçaient sous leurs pieds. Ils virent alors que les piliers étaient richement sculptés et reluisaient confusément d'or et de couleurs entraperçues. De nombreuses tentures étaient suspendues aux murs, et sur leur vaste surface marchaient des figures de l'ancienne légende, certaines ternies par l'âge, d'autres se détachant à peine dans l'ombre. Mais sur l'une d'elles tombait un rayon de soleil : un jeune homme monté sur un cheval blanc. Il sonnait d'un grand cor, et ses cheveux blonds flottaient au vent. Le cheval [...] hennissait à l'odeur de la bataille lointaine. Une eau écumante [...] roulait autour de ses genoux.

– Voyez Eorl le Jeune ! dit Aragorn. C'est ainsi qu'il vint du Nord à la Bataille du Champ du Celebrant » (t. 2, III, pp. 150-151).

Rôle dans l'histoire

Gandalf rencontre d'abord en Rohan bien des réticences, voire de l'hostilité. Mais une fois débarrassé de son mauvais conseiller, le Roi Théoden devient un des plus sûrs alliés contre l'Ennemi. Les merveilleux chevaux du Rohan seront d'une aide précieuse. C'est à Edoras que pour son malheur, Eowyn voit Aragorn pour la première fois et en tombe amoureuse. Mais c'est là aussi qu'à la fin est annoncé son mariage avec Faramir, lorsque son frère Eomer est couronné.

Deux autres sites spectaculaires en Rohan. Le gouffre de Helm est dominé par **Fort-le-Cor** [1], forteresse ancienne aux énormes remparts que l'on dit avoir été construite en des temps de gloire très anciens par des géants, les Rois de la Mer, venus de Númenor. Une bataille d'envergure y oppose les troupes de Saroumane (Orques et Hommes sauvages) aux gens de Rohan, soutenus par Aragorn et les siens. Ces derniers semblent devoir être vaincus par le déferlement de féroces ennemis mais la vaillance de tous et l'aide providentielle des Ents renversent la situation à leur avantage.

Dunharrow, au fond de la vallée d'Edoras, est le refuge bâti lors des Années Noires par les Hommes des Montagnes. La forteresse se défend par sa situation même : on n'y peut accéder que par une route en lacet qui gravit une falaise verticale. C'est là que Théoden, avant de partir en guerre, met à l'abri les populations civiles, en les confiant à Eowyn.

• Gondor

Le puissant royaume de Gondor n'est plus que le fantôme de sa gloire passée ; de son ancienne capitale, **Osgiliath**, ne subsistent que des ruines. Maintes régions paraissent désertées. Le récit évoque une expédition d'Aragorn dans le Gondor du Sud, à la recherche de renforts, mais ne présente directement que la vallée de l'Anduin, dans la section qui longe les Monts de l'Ombre. L'une des deux tours construites pour surveiller le Mordor et interdire ses incursions est tombée au pouvoir de Sauron ; l'autre, Minas Tirith, est devenue la capitale des Intendants gouvernant le Gondor. Zone limi-

1. Bataille de Fort-le-cor : t. 2, III, pp. 173 à 193 ; description : pp. 174 et 177-178.

trophe où s'insinuent des bandes d'Orques, défendue par Faramir, l'Ithilien, forêt retournée à l'état sauvage, exhale un charme pénétrant.

Minas Tirith

Nom

« Tour de guet » ; son nom originel était Minas Anor, « tour du soleil ».

Situation

Sur les pentes est du mont Mindolluin, extrémité est de la chaîne des Montagnes Blanches, à l'ouest de l'Anduin, face aux Monts de l'Ombre et à Minas Morgul, sur l'autre rive.

Site et description

La colline est modelée en sept terrasses concentriques de telle façon que la porte de chaque niveau soit orientée différemment. La Grande Porte fait face à l'est. Un éperon de pierre divise en deux tous les cercles ; au-dessus, la Citadelle semble la carène d'un navire fendant les eaux. Hérissée de créneaux, elle regarde l'est, et surplombe la Porte de 700 pieds de haut. La citadelle est creusée dans le rocher ; une fois franchie la septième porte, on accède à la Cour Haute où s'élève la Tour Blanche. Son sommet domine la plaine de 1 000 pieds.

> « La Tour se détachait, brillante, sur le ciel, comme une pointe de perle et d'argent, belle et élancée, et son pinacle étincelait comme s'il était fait de cristaux » (t. 3, V, p. 21).

Au pied de la Tour, sur la place de la fontaine, est conservé un arbre mort, seul souvenir de l'Arbre Blanc : ce squelette noirci manifeste la décadence du Gondor. La salle de réception laisse une impression morbide et sinistre.

> « De hauts piliers, monolithes de marbre noir, soutenaient le plafond [orné d']un entrelacs d'or mat et d'ara-

besques multicolores. On ne voyait dans cette longue et solennelle salle aucune tapisserie ni tenture historiée, ni aucun objet de tissu ou de bois ; mais, entre les piliers, se tenait une compagnie silencieuse de hautes statues de pierre froide.

Pippin se rappela soudain les rochers taillés d'Argonath, et la crainte le saisit à la vue de cette avenue de rois depuis longtemps morts » (t. 3, V, p. 25).

Sur la cinquième terrasse, dans un endroit retiré et clos en bordure du précipice, la rue du Silence mène aux demeures funéraires où reposent Rois et Intendants. C'est là que Denethor s'étend avec son fils sur un bûcher funéraire. Le sixième cercle accueille les Maisons de Guérison, seul lieu où poussent l'herbe et les arbres dans la Cité ; là vivent les seules femmes autorisées à rester dans Minas Tirith, en raison de leurs talents guérisseurs. Dans le jardin, Eowyn apprend à connaître et à aimer Faramir.

Historique

La ville forte de Minas Anor est bâtie en l'an 3320 du 2e Âge par le Roi Anarion. Au 3e Âge, le déclin d'Osgiliath fait d'elle la capitale du Gondor. La Cour s'y installe, la Tour Blanche est érigée en 1900. Quand Minas Ithil, en 2002, tombe au pouvoir du Mordor, elle change de nom pour devenir Minas Tirith.

Principale défense contre le Mordor, avec le déclin du royaume, elle tend à se dépeupler. Attaquée en 3019 par les forces de Sauron, elle manque tomber quand l'Ennemi parvient à détruire ses Portes. Elle est sauvée par l'arrivée providentielle de renforts et l'héroïsme des combattants.

Rôle dans l'histoire

Tous les personnages y convergent au livre V puisque toutes les forces doivent se rassembler pour la défendre : d'abord Gandalf et Pippin qui rencontrent Denethor et constatent les étrangetés de sa conduite, puis Faramir qui vit un conflit très pénible avec son père, enfin tous les autres compagnons au jour de la grande bataille. Après la victoire et la mort de Denethor, c'est de là que part l'Armée d'Occident pour sa dernière expédition contre le Mordor. Dans les Maisons de Guérison, les blessés, Faramir, Eowyn et Merry, reviennent à la vie.

À la fin de leur quête, Frodon et Sam y sont ramenés, Aragorn y est reconnu et sacré Roi d'Occident. Il trouve et plante le rejeton de l'Arbre Blanc, souvenir des Jours Anciens. Les Nains viendront reconstruire la cité.

Quelques passages
T. 3, V, ch. I, IV, VI-VIII ; t. 3, VI, ch. V particulièrement pp. 21 à 25, 130, 174.

L'Ithilien

Cette vallée, abritée de l'est par les montagnes, s'ouvre aux vents de la Mer lointaine. De nombreuses cascades l'animent. Dans ce climat frais et humide, tout pousse ; l'odeur salubre régénère corps et esprits.

« Devant eux, comme ils se tournaient vers l'ouest, des pentes douces descendaient dans des brumes légères très en contrebas. Tout autour se voyaient de petits bois d'arbres résineux, sapins, cèdres et cyprès, et d'autres espèces inconnues dans la Comté, séparés par de larges clairières ; et partout il y avait une abondance d'herbes et de buissons odorants. [...] Ici, le printemps était déjà à l'œuvre : des frondes perçaient la mousse et l'humus, les mélèzes avaient des pousses vertes, des fleurettes s'ouvraient dans l'herbe, des oiseaux chantaient. Ithilien, le jardin du Gondor, maintenant désolé, conservait encore une beauté de dryade échevelée » (t. 2, IV, p. 343).

Derrière une cascade, s'ouvre un passage secret. Il mène à Henneth Annûn, la « Fenêtre du Couchant » : « Il leur semblait se tenir à la fenêtre de quelque tour elfique, aux rideaux tissés de joyaux d'argent et d'or, de rubis, de saphirs et d'améthystes » (t. 2, IV, p. 377). Des salles creusent la montagne, elles servent de refuge aux Éclaireurs ; une galerie accède à une terrasse d'où la vue s'étend d'un côté sur les Montagnes Blanches enneigées, de l'autre sur un bassin intérieur, un lac sombre où se précipitent les cascades.

Rôle dans l'histoire

Sans l'Ithilien, la quête de Frodon aurait sans doute échoué. Il avait besoin de restaurer ses forces physiques avant l'épreuve finale. Il conforte sa décision en rencontrant là Faramir à qui il accorde rapidement sa confiance. Le jeune seigneur lui fait part de sa vaste connaissance du passé et de ses rêves d'avenir ; le Hobbit comprend mieux alors le sens de sa mission. Autre moment clé : au bord du lac d'Henneth Annûn, Faramir aperçoit Gollum et le condamne à mort mais Frodon lui sauve la vie.

À la fin du récit, Faramir viendra s'y établir comme seigneur avec sa femme Eowyn ; Legolas y séjournera pour respirer les effluves maritimes.

LÀ OÙ DOMINE L'ENNEMI

Le territoire de l'Ennemi reste la plupart du temps hors des parcours du roman, et ce mystère accroît l'angoisse. Les combattants ont un aperçu des dévastations que peut infliger un pouvoir maléfique à une contrée lorsqu'ils emprisonnent Saroumane en Isengard. En remontant la vallée de l'Anduin en direction de la Porte Noire, l'Armée d'Occident constate les ravages de Sauron. Mais seuls les Porteurs de l'Anneau franchissent les Monts pour pénétrer en Mordor et voir le Mal dans toute son horreur [1].

---

1. Le chapitre « L'eau, la terre et le feu », p. 224, revient sur ces paysages maudits.

L'Isengard, domaine de Saroumane

Nom

« Forteresse d'acier », sens aussi de son nom primitif Angrenost. **Orthanc**, nom de la Tour, signifie, selon les langages, « mont du croc » ou « esprit rusé ».

Situation

Extrémité sud-est des Monts de Brume, au sud de Fangorn ; la vallée, autrefois fertile et verte, n'a qu'un accès, au sud, ouvert sur la Trouée de Rohan.

Site

Un cirque de rochers très fermé, cerné de falaises à pic.

Description

Puits et forges enlaidissent et empuantissent le vaste bassin central ; une fumée sombre l'enveloppe. Des tanières creusent les falaises. Des escaliers s'enfoncent pour rejoindre sous terre de vastes cavernes où Saroumane dissimule trésors, magasins et armureries.

« L'orifice (des puits) était recouvert de monticules bas et de dômes de pierre, de sorte qu'au clair de lune, le Cercle d'Isengard avait l'air d'un cimetière de morts agités. [...] La tour [au centre] avait été façonnée par les constructeurs d'autrefois, et pourtant elle ne paraissait pas être due à l'art des Hommes, mais avoir surgi de l'ossature même de la terre dans l'antique tourment des collines. C'était une pointe et une île de roc, noire et luisante : quatre puissants piliers de pierre à plusieurs côtés étaient soudés en un seul, mais près du sommet, ils s'ouvraient en cornes écartées aux pinacles aussi aigus que des fers de lance et aussi affilés que des couteaux » (t. 2, III, pp. 209-210)

Orthanc semble une parodie dérisoire de Barad-Dûr, la forteresse de Sauron. À son sommet, la plate-forme est gravée de caractères anciens et mystérieux ; elle permet à Saroumane de faire des observations astronomiques.

Historique

La forteresse a été construite par les Rois de Gondor au temps de leur splendeur ; abandonnée vers 2510, elle est concédée en 2759 à Saroumane. À partir de 2963, il l'accapare, fortifie et modifie les lieux.

Rôle dans l'histoire

Saroumane y retient prisonnier Gandalf alors que Frodon l'attendait en Comté ; le mage s'en évade grâce aux Aigles. Dans cette cachette, Saroumane se livre à des manipulations biologiques pour créer de nouvelles sortes d'Orques ; il y réunit aussi des milliers de loups et d'Hommes sauvages et installe des forges pour armer ses soldats. Les Ents y mènent l'armée des arbres pour se venger des massacres commis par Saroumane, ils exterminent ses armées et le gardent prisonnier. Gandalf et les siens arrivent après la bataille pour contempler la destruction. Les Ents s'installent ensuite en Isengard pour régénérer la vallée ; le travail est bien avancé quand les héros y passent sur le chemin du retour.

Quelques passages

T. 1, II, pp. 344 à 348 ; t. 2, III, pp. 107, 209-210, 239-241 ; t. 3, VI, p. 351.

Le royaume de Sauron

Au nord, en bordure de la Forêt Noire, Sauron a construit, vers 1100 du 3e Âge, la tour de **Dol Guldur** (« colline de sorcellerie »). Il y retient et torture ses prisonniers comme le Roi Nain Thrain ou plus tard Gollum. Le roman l'évoque sans y conduire. Gandalf y entre clandestinement pour enquêter sur le pouvoir inconnu qui s'y est installé. Le Conseil Blanc oblige Sauron à quitter l'endroit en 2941, mais, dix ans plus tard, il y envoie trois des Nazgûl pour s'en servir comme base d'opérations et menacer la Lórien. Après la chute de Sauron, les Elfes détruisent la Tour. Mais le repaire de Sauron est l'horrible Mordor.

Le Mordor

Nom
« Terre noire ».

Situation
À l'est du bas Anduin, limite des terres connues.

Site
Cuvette enfermée dans un anneau de montagnes apparemment infranchissables, les Monts de Cendre (Ered Lithui) au nord, les Monts de l'Ombre (Ephel Duath) au sud et à l'ouest. Deux accès seulement sont connus, l'un au nord, l'autre à l'ouest.

Historique
Colonisé au 2e Âge par Sauron, c'est le repaire absolu du mal. De là, Sauron lance ses attaques contre les Elfes et les Hommes, puis contre Gondor. Après la défaite de Sauron au 2e Âge, le Mordor est nettoyé de ses créatures maléfiques et les gens de Gondor construisent des forteresses pour empêcher désormais qu'aucune force mauvaise puisse sortir du Mordor : ces verrous sont les « Tours des Dents » (Durthang) pour l'accès nord et Cirith Ungol pour l'accès ouest. Dès que ces forteresses sont abandonnées, les Nazgûl retournent en Mordor pour préparer la revanche.

Description
« Ni printemps ni été ne viendraient jamais plus. Ici, rien ne vivait, pas même les végétations lépreuses qui se nourrissent de pourriture. Les mares haletantes étaient suffoquées par la cendre. [...] De grands cônes de terre calcinée et souillée de poison se dressaient comme dans

un répugnant cimetière en rangées sans fin, lentement révélées dans la lumière avare » (t. 2, IV, p. 317).

« Dur, cruel et âpre était le pays qui s'offrit à son regard. Devant ses yeux, la plus haute croupe de l'Ephel Duath descendait à pic en grands escarpements dans une sombre auge ; de l'autre côté, s'élevait une autre croupe, beaucoup plus basse, au bord dentelé et haché de rochers à pic qui se détachaient comme des crocs noirs sur la lumière rouge » (t. 3, VI, p. 234).

Rôle dans l'histoire

Malgré sa peur, Frodon doit pénétrer en Mordor pour détruire l'Anneau. Le fidèle Sam l'y accompagne. La première difficulté est d'y pénétrer malgré la surveillance des ennemis, la deuxième est de traverser la plaine centrale pour atteindre le Mont du Destin, l'Orodruin.

Une première expédition de Sauron vise Minas Tirith et sort du Mordor par l'ouest, près de Minas Morgul. La deuxième grande attaque rassemble des forces si imposantes qu'elle emprunte au nord la Porte Noire ; les armées noires s'élancent pour envahir l'univers ; en fait elles livrent là leur dernière bataille.

Quelques lieux importants pour l'action

Cirith Gorgor, le « col hanté », large passe au nord, est défendu par les Tours des Dents et fermée par le rempart du Morannon (« porte noire »).

Cirith Ungol, le « col de l'araignée », au nord de Minas Morgul, offre un accès plus facile car moins gardé malgré la présence d'une tour fourmillant d'Orques et des Guetteurs de pierre. C'est là que passe Frodon.

Minas Morgul, la « tour de la magie noire », est l'ancienne Minas Ithil, « la Tour de la Lune » prise par les Nazgûl en 2002. Elle garde l'accès ouest. La tour est construite sur le même modèle que sa jumelle Minas Tirith, mais elle inspire autant de peur que celle-là d'admiration. De là l'Ennemi lance ses attaques sur le Gondor.

Barad-Dûr, la « tour sombre », aussi appelée Lugburz par les Orques, s'élève à l'intérieur du Mordor ; c'est la plus puissante forteresse de Terre du Milieu.

> « Il vit alors, dressée toute noire, plus noire et sombre que les vastes ombres au milieu desquelles elle s'élevait, la plus haute tour de Barad-Dûr avec ses cruels pinacles et son couronnement de fer » (t. 3, VI, p. 298).

Construite par Sauron au 2e Âge grâce au pouvoir de l'Anneau, elle ne peut être détruite que si l'Anneau est anéanti. On assiste à la fin de la Quête à sa chute apocalyptique.

Quelques passages
T. 2, IV, pp. 317, 323, 403 ; t. 3, VI, pp. 231 à 307 (surtout pp. 270, 277, 298).

III – CRÉATURES

En inventant une terre nouvelle pour ses récits, Tolkien l'a peuplée de multiples créatures. Toutes ne hantent pas les forêts du *Seigneur des Anneaux* car les êtres les plus purs ont abandonné un continent rongé par la violence. Les dieux continuent sans doute de regarder attentivement l'évolution de leur création mais restent au loin, invisibles ; la plupart des Elfes ont aussi déserté Endor. Pour comprendre les destins de ces êtres divers, il faut remonter aux origines, telles qu'elles sont décrites dans *Le Silmarillion*.

DE CE CÔTÉ-LÀ DU BIEN ET DU MAL

Si l'univers avait répondu au rêve d'Ilúvatar, le Dieu créateur, toutes les créatures auraient été parfaites. Mais dès les premiers temps, avant même la naissance de la Terre, des pouvoirs mauvais se sont exercés [1], qui se révèlent capables d'attirer du côté sombre tout être [2]. Ainsi, s'il y a dans le monde de Tolkien une hiérarchie des êtres, chaque espèce a deux versants, la créature intègre conforme à l'origine et la version pervertie. Un premier tableau (ci-après) identifie les êtres qui se manifestent dans les Jours Anciens et signale leur habitat [3].

1. Voir l'histoire des premiers temps p. 19.
2. Ou presque... Les Nains opposent une résistance sans faille et gardent indéfectiblement leurs qualités... et leurs défauts.
3. Se reporter aux cartes pp. 46 *sqq*.

	Bien	Mal	
Vide hors du temps et du monde	Ilúvatar		
en Aman,	Les Valar	Melkor – Morgoth	Mordor
Valinor	Les Maiar	Sauron	
En Aman, Eldamar. En Endor, l'Ouest	Les Elfes	Les Orques	
En Endor, sous les monts	Les Nains		
En Endor, régions Ouest	Les Hommes : Edain	Les Hommes : Esterlins	En Endor, régions Nord et Est régions Sud
		Haradrim	

Le deuxième tableau présente les êtres qui se manifestent en Terre du Milieu au 3ᵉ Âge, époque qu'un des personnages appelle « Jours du milieu ». Il conviendrait d'y ajouter les arbres. Précisons que les Hobbits, héros des romans, existaient selon Tolkien dès le 1ᵉʳ Âge mais qu'ils ont vécu en Endor à l'insu de tous et qu'ils n'apparaissent dans l'histoire du monde qu'au 3ᵉ Âge. Cette discrétion est ce qui paradoxalement leur permettra de réussir la Quête.

Bien		Mal	
Vieille Forêt	Les Maiar : Tom Bombadil et Baie d'Or ? et sans doute	Sauron, Seigneur des Anneaux le Balrog	caché en Mordor ? au fond de la Moria
Errant sur les chemins	les Mages : Gandalf	Saroumane	Isengard
Fangorn	Les Ents		
Oasis : la Lórien Fondcombe Forêt Noire	Les Elfes	Les Orques et les Ourouks	Mordor et Monts de Brume, Forêt Noire Isengard
Sous les Monts de Fer et l'Erebor	Les Nains		
Gondor Rohan Forêt de Druadan	Les Hommes : les Dúnedain et autres Edain les Woses	Les Hommes : les Nazgûl les Esterlins les Haradrim	Mordor et Mer de Rhûn Harad
La Comté	Les Hobbits	Gollum (entre bien et mal)	Monts de Brume
	Les Aigles, les chevaux	Les loups, les corbeaux	

LES DIEUX

Un Dieu, Eru, « l'unique », appelé aussi Ilúvatar, « Père de Tout », est à l'origine de toute chose. Sa pensée a créé les dieux, les Ainur ou « Bénis », qui existaient avant la création du monde. Leur nombre n'est pas précisé. Leurs chants ont magiquement formé les lignes du monde : le thème était donné par Eru, ils inventaient les autres voix qui le développaient et l'harmonisaient. L'un d'eux a introduit des thèmes différents qui ont brisé l'unité première.

Melkor était ce dieu rebelle ; son orgueil et son désir de pouvoir sont à l'origine du Mal dans le monde.

Les Valar

Parmi les Ainur , certains ont quitté les espaces infinis et sont descendus dans le monde pour réaliser concrètement Arda. On les appelle les **Valar** ou « Puissants ». Outre **Melkor**, il y a 7 dieux et 7 déesses [1].

Manwë	Ulmo	Aulë	Tulkas	Oromë	Mandos	Lórien	
Varda		*Yavanna*	*Nessa*	*Vána*	*Vairë*	*Estë*	*Nienna*

Comme lés dieux n'ont vu, chacun, qu'une partie de la Vision initiale, ils ont des attributions définies : certains règnent sur des éléments, l'air ou l'eau, d'autres sont artisans ou artistes, guerriers ou jardiniers [2]. Purs esprits, ils peuvent revêtir sur Terre la forme d'êtres majestueux et beaux.

Sources

Tolkien s'est inspiré principalement de la mythologie gréco-romaine, mêlée d'éléments chrétiens. Le nombre et les attributions des Valar, leurs liens de parenté ou leurs alliances rappellent les Olympiens. Comme chez ceux-ci, le « roi » est dieu du ciel, les aigles sont ses envoyés ; le second des dieux, Ulmo, règne sur les eaux...

Melkor-Morgoth ressemble à Lucifer-Satan, lui aussi

1. En romain, les dieux ; en italique, les déesses.
2. Air : Manwë ; eau : Ulmo ; métallurgie : Aulë ; guerre : Tulkas ; chasse : Oromë. Mandos est le dieu de la mort ; Lórien, celui des rêves. Yavanna protège les plantes, Varda fait rayonner la lumière...

emporté par l'orgueil de rivaliser avec Dieu. Melkor, enfin vaincu, est précipité dans le Vide ; Lucifer, ange déchu, tombe du Ciel.

Rôle dans la vie du monde

Les Elfes et les Hommes ont été créés par Ilúvatar sans l'intervention des Valar, mais ceux-ci s'en sentent responsables et tâchent de les guider, de les instruire en leur communiquant sagesse, courage, vertu quand il le faut.

Les dieux ont d'abord vécu au milieu du monde, mais les exactions des forces mauvaises les ont conduits à s'en retirer peu à peu. Sur leurs terres de l'Ouest, ils ont côtoyé les Elfes qui restent toujours la race la plus proche des dieux : il existe entre eux un lien particulier d'amour, de compréhension, de vénération. Amèrement déçus par l'évolution de la Terre du Milieu, les dieux se sont séparés du monde et se refusent à intervenir désormais directement dans l'histoire des créatures. Ils n'ont pourtant pas cessé de s'intéresser au devenir de leur création et il semble que ce soient eux qui envoient des rêves et des révélations aux personnages ; en tout cas, ce sont eux qui envoient en Endor les Mages pour surveiller les menées de Sauron.

La récompense suprême des Porteurs de l'Anneau sera de partir au-delà des mers pour habiter auprès d'eux.

Présence des dieux dans *Le Seigneur des Anneaux*
Varda, déesse majeure de la **lumière**, a inventé les étoiles. Elle a un lien privilégié avec les Elfes qui la vénèrent entre tous les dieux. C'est elle qui aide Sam grâce à la lumière enclose dans la fiole de Galadriel, c'est elle que les héros invoquent sous le nom d'**Elbereth**, « reine des étoiles ».

Manwë, dieu des **airs**, veille de loin. Les **aigles** sont ses messagers, ils viennent à point nommé sauver Gandalf prisonnier de Saroumane, secourir les hommes sur le champ de bataille du Morannon, enfin ils récupèrent sur le Mont du Destin les deux héros, Frodon et Sam, à la fin de leur mission.

Yavanna, déesse de la **végétation**, protège plantes et animaux. Elle a donné vie et âme à des arbres qui sont devenus les **Ents** afin qu'ils deviennent les gardiens de tout ce qui s'enracine dans la terre ceux-ci continuent de chanter ses louanges.

Les Maiar

À côté des dieux majeurs, existent aussi d'assez nombreuses divinités secondaires. Certaines ont choisi de suivre les Valar dans le monde, ce sont les **Maiar**. Ils protègent les eaux et les plantes terrestres. Tom Bombadil et Baie d'Or, dans *Le Seigneur des Anneaux*, malgré leur aspect joyeusement familier, doivent être des Maiar, restés en Endor mais comme retirés sur leur colline : Tom en effet échappe au pouvoir de l'Anneau, il peut passer celui-ci à son doigt sans devenir invisible. Quelques-uns ont été séduits et pervertis par Melkor (Morgoth), comme les monstrueux Balrogs et Sauron [1].

Balrogs (« puissance démoniaque ») : Maiar qui ont suivi Melkor dans sa rébellion. Ils sont devenus, avec Sauron, ses plus puissants et terrifiants serviteurs. Beaucoup ont été exterminés dans les batailles du 2e Âge. Les rares survivants se sont cachés dans les profondeurs de la terre. L'un d'eux a été réveillé, dans la Moria, en l'an 1980 du 3e Âge par des Nains qui ont creusé excessivement les mines. Il a tué de nombreux Nains et provoqué l'exil de ceux-ci ; il terrifie les Orques et les Trolls qui peuplent ensuite les souterrains. L'imprudence d'un jeune Hobbit attire son attention, il poursuit les Compagnons de l'Anneau. Gandalf, qui a seul assez de force pour l'affronter, engage contre lui un combat titanesque. Le Balrog est détruit au bout de dix jours de lutte.

1. Voir p. 131.

Au physique, ces monstres étonnants sont difficiles à décrire et à représenter : faits d'ombre et de flamme, visqueux, énormes, ils brandissent une épée de feu et un fouet à multiples lanières.

Ils supportent les conditions de vie les plus extrêmes et possèdent un pouvoir magique terrifiant.

Les Mages ou Istari

Leur origine reste assez mystérieuse, mais leurs pouvoirs semblent indiquer qu'ils pourraient être des Maiar. De l'Ouest, les dieux ont envoyé cinq Istari, vers l'an 1000 du 3e Âge, afin d'enquêter sur une étrange montée de la violence et de la peur en Terre du Milieu, et de savoir qui manipule ces événements car ils soupçonnent un retour de Sauron, vaincu à la fin du 2e Âge. Les Istari doivent conseiller les Peuples Libres et les aider à lutter mais il leur est formellement interdit et de combattre directement Sauron et de chercher à exercer un pouvoir sur les créatures. Ils ont l'apparence de sages vieillards, mais ils possèdent une grande force physique. Chacun est caractérisé par une couleur propre.

Dans le roman, trois Mages sont cités : Saroumane le Blanc, Gandal le Gris et Radagast le Brun (proche de la Nature, des arbres). Seuls les deux premiers jouent un rôle important dans l'action. Saroumane[1], qui s'est cru assez fort pour transgresser le tabou, a glissé du côté du mal ; Gandalf[2] est le maître d'œuvre de la quête qui permet de vaincre Sauron.

LES RACES D'ORIGINE DIVINE

Les Ents

Les Ents, bergers des arbres, sont des créatures très anciennes, intimement liées à la Nature. Ils effraient les autres peuples par leur puissance mystérieuse tout en faisant sourire le lecteur par leur lenteur excessive. Quelques scènes comme le Conseil des Ents ou leur marche contre l'Isengard frappent particulièrement l'imagination.

Nom

Ent signifie « géant » en vieil anglais, c'est le nom que leur donnent les gens de Rohan. Les Elfes les baptisent Onodrim.

Portrait

Les Ents évoquent des Hommes ou des Trolls tout en ressemblant à des arbres, de haute taille (de 12 à 14 pieds), robustes, la tête et les membres longs, peu de cou. Une peau lisse et brune, très proche de l'écorce, les recouvre ; leurs pieds surdéveloppés ont sept orteils, leurs mains de nombreux doigts ; leurs yeux sont bruns avec

1. Voir p. 158.
2. Voir p. 133.

des reflets verts, leur barbe grise et moussue. Chacun rappelle plus exactement l'aspect de l'essence particulière : chêne, hêtre... qu'il protège.

Ils sont infiniment vieux et le temps chez eux n'est pas mesuré : que sont les jours à l'échelle de leurs existences ? Ils évitent les jugements hâtifs et se décident avec une sage circonspection, mais une fois déterminés, rien ne peut les arrêter. Ils ne manquent pas d'humour à l'égard d'eux-mêmes, comme le montrent les apartés de Sylvebarbe dans ses conversations avec Merry et Pippin.

Histoire

Yavanna, déesse de la végétation, a créé les Ents pour veiller sur tout ce qui plante ses racines dans le sol (les « olvar » dans la terminologie de Tolkien) et elle continue à inspirer leur action. Leur nature est intimement liée aux arbres et aux esprits des arbres. Ils se sont éveillés en même temps que les Elfes ; ceux-ci les ont incités à parler et leur ont appris leurs langages. Mais les Ents se sont inventé ensuite un langage propre dont le roman donne quelques exemples. Aux 1er et 2e Âges, ils se déplacent dans le Beleriand et les régions orientales d'Endor, puis ils colonisent un vaste espace s'étendant de la Vieille Forêt à Fangorn ; ils restent en marge de l'Histoire et de ses luttes. Au 3e Âge, ils se replient en Fangorn. En effet au fil du temps, les Ents-femmes se sont séparées des Ents-hommes ; elles ont d'abord cultivé de merveilleux jardins où elles se sont familiarisées avec les Hommes, puis elles ont disparu et les Ents n'ont pu retrouver leurs traces. Ils ont donc perdu tout espoir de nouvelles naissances et ils vivent mélancoliquement la fin de leur race ; certains Ents, pris d'une sorte de léthargie, deviennent même « arbresques ». Ils ne sont guère plus de deux douzaines à rester encore actifs.

Les **Huorns** apparaissent eux aussi comme des arbres animés, il s'agit sans doute d'Ents retournés à l'état sauvage lors de la Grande Nuit. Ils savent encore parler, ils se meuvent au ralenti en temps normal, mais, en cas d'urgence, peuvent se déplacer très vite, au cours de la nuit. Leur transformation les a rendus agressifs, ils haïssent sans merci les Orques qui ont souvent massacré les forêts, mais ils ne sont pas foncièrement mauvais. Ils respectent assez les Ents pour suivre leurs avis.

En 2950 du 3e Âge, Saroumane se met à détruire les forêts, à massacrer les arbres pour ses exploitations industrielles. La visite de Merry et de Pippin incite Sylvebarbe à organiser une vaste expédition punitive. Ents et Huorns, silencieusement, avec une force irrépressible, et sans qu'on sache bien comment, exterminent les Orques et détruisent de fond en comble l'Isengard.

Leur mission est destinée à s'arrêter au moment où les Hommes domineront la Terre, c'est-à-dire au 4e Âge. *Le Seigneur des Anneaux* montre donc la fin des Ents.

Langage

Les Ents ont un timbre grave et profond ; leur langue semble aux oreilles non habituées une sorte de bourdonnement continu, des suites d'onomatopées peu articulées, beaucoup de « Houm » et de « Hm ». Mais un seul de leurs mots contient un monde d'impressions[1].

Au fredonnement méditatif de Sylvebarbe (t. 2, III, p. 104) : *boum, boum, rumboum, bourar, boum boum, dahrar boum boum...* sur des notes et des rythmes différents, répondent les tremblements des branches et du sol ; cette communication primordiale se fait par une forme d'accord, plus ancien que les mots. Ainsi les nouvelles se propagent à longue distance avec une vitesse inouïe.

Habitat

Sur les pas de Merry et de Pippin, on découvre l'antre de Sylvebarbe : une terrasse taillée dans la colline, une vaste nef d'arbres appuyée au rocher, où ne s'entendent que le bruissement des feuilles et le murmure d'une source. L'eau tombe en un fin rideau de pluie sous lequel

---

1. Voir « Langages », p. 170.

Sylvebarbe se « douche », elle se rassemble ensuite en un bassin de pierre. Sylvebarbe appelle ce lieu « salle du Jaillissement ». Deux récipients sur une table de pierre contiennent des liquides mystérieux, l'un doré, l'autre vert ; ils rayonnent d'une étrange lumière et rendent les arbres incandescents.

Mode de vie

Les Ents prennent leurs repas debout ; leur boisson ressemble à de l'eau, sa saveur indéfinissable rappelle l'odeur d'une forêt rafraîchie par une brise. Elle délasse et revigore, disent drôlement les Hobbits, jusqu'à l'extrémité des cheveux qui se mettent à ondoyer. Ils s'apercevront plus tard qu'elle fait grandir. Une autre de leurs liqueurs, d'un goût plus terreux et corsé, nourrit et fortifie.

On constate par l'exemple de Sylvebarbe que les Ents sont attachés au passé et manifestent une piété naturelle. Ainsi Sylvebarbe aime écouter et raconter des histoires, celle de son peuple, celle du monde d'autrefois. De longues chansons qu'il psalmodie disent les merveilles de la Création. Le soir et le matin, il semble s'absorber dans une prière d'adoration des étoiles. Les Ents paraissent vivre sous un régime démocratique, une Chambre plénière se réunit pour prendre les décisions ; on a toutefois l'impression que le vieux Sylvebarbe fait figure de chef.

Rôle dramatique

À part les Elfes, les autres peuples de la Terre du Milieu ne les connaissent pas : les Cavaliers de Rohan ou les Hobbits les découvrent avec stupéfaction. Ils en ont peur d'abord, puis grâce à de plus sages, Gandalf ou Legolas, ils comprennent un peu mieux ce qu'ils sont. Il n'en reste pas moins que se croisent là deux époques de l'histoire du monde, ce que résume fort bien Théoden (t. 2, III, p. 203) : « Et voilà que les chansons viennent parmi nous d'endroits étranges et marchent en chair et en os sous le Soleil. » Seuls, Merry et Pippin ont le privilège de vivre un temps parmi les Ents et d'échanger de réelles conversations – peut-être parce qu'ils ont le cœur assez pur pour croire aux légendes ? Ils sortiront de cette expérience grandis physiquement et moralement.

Les Ents ignorent de leur côté l'existence des Hobbits et Sylvebarbe les ajoute volontiers à son catalogue des créatures. Merry et Pippin montrent aussi par leur récit et l'exemple de leur engagement que les Ents ont eu tort de se mettre hors du monde. Sylvebarbe décide alors d'intervenir pour un dernier baroud d'honneur, afin que son peuple participe à l'extermination du Mal, en détruisant l'Isengard de Saroumane d'abord, en arrêtant les troupes de Sauron ensuite.

Quelques représentants

– Vifsorbier : un « jeune » Ent primesautier auquel sont confiés Merry et Pippin pendant le Conseil des Ents.

– Sylvebarbe (nom anglais : Fangorn) : le plus vieux et le plus sage des Ents. Son esprit est assez pénétrant pour saisir même ce qui n'est pas dit, il comprend immédiatement l'importance des événements. Particulièrement accueillant avec Merry et Pippin, il ne se contente pas de les héberger, il prend en charge leur instruction et ouvre leur esprit sur des horizons plus larges. Il semble une mémoire vivante d'Arda.

> « On avait l'impression d'une chose endormie [...] qui se sentirait entre l'extrémité de la racine et le bout de la feuille, entre la terre profonde et le ciel, se serait soudain éveillée et vous considérerait avec la même lente attention qu'elle aurait consacrée à ses propres affaires intérieures durant des années sans fin » (t. 2, III, p. 82).

Bavard, voire prolixe, il adopte un style énergique, pittoresque, et exprime « vertement » ses colères : « Maudit soit-il, racine et ramille ! Bon nombre de ces arbres étaient mes amis ; des créatures que je connaissais depuis la noix ou le gland ; beaucoup avaient des voix à eux, qui sont maintenant perdues à jamais » (t. 2, III, p. 96).

Source

Passages

T. 2, III, ch. IV (Fangorn) ; ch. VIII et IX, *passim* (la marche des Ents).

Tolkien aime passionnément les arbres et ses forêts sont toutes dotées d'une vie particulière, plus ou moins magique. Il s'est peut-être souvenu des Dryades, nymphes grecques des arbres, mais il a surtout voulu surpasser Shakespeare dont il a toujours estimé assez pauvre l'utilisation de « la forêt qui avance » dans *Macbeth*.

Les Elfes

Ces « Belles Gens », comme les surnomment Hommes et Hobbits, surgissent eux aussi du passé des légendes. Beaucoup parmi les habitants de la Terre du Milieu n'ont jamais eu l'occasion de les rencontrer et les regardent passer avec émerveillement. Êtres de lumière et de poésie, ils n'habitent plus que quelques forêts reculées, mais avant de partir pour l'Ouest, ils vont encore une fois aider les Peuples Libres à vaincre le Mal. À la différence des actes précédents de l'Histoire [1], ils ne dirigent plus les opérations. Le temps des autres races est venu.

Nom

Les Elfes sont aussi appelés Premiers-Nés d'Ilúvatar, ou Eldar, « peuple des étoiles ».

Histoire

Les Elfes sont les premières créatures apparues en Terre du Milieu ; ils ont été conçus par le seul Ilúvatar, ce qui leur confère une pureté singulière et une beauté supérieure à celle de toutes les autres créatures. Ils se sont séparés en plusieurs peuples au fur et à mesure de leur histoire, selon qu'ils vécurent plus ou moins longtemps avec les Valar, dans la lumière de l'Ouest, ou qu'ils restèrent en Terre du Milieu.

1. Voir « Histoire », pp. 20 *sqq*.

Vanyar, « les Blonds »	Noldor, « les Sages »	Teleri, « les Derniers »		
		Maison d'Olwë	Sindar, « Elfes-Gris »	Nandor, « ceux qui firent demi-tour »
« Elfes de Lumière »		« Elfes de la Nuit »		

Legolas par exemple est un prince Sindar, Galadriel une princesse Noldor. Chacun des peuples elfes se distingue par des traits physiques particuliers qui semblent mystérieusement liés à l'intimité plus ou moins grande avec les dieux. Le séjour dans les terres paradisiaques de l'Ouest paraît accentuer la blondeur. Les Vanyar, qui n'ont pas quitté Aman, ont des cheveux dorés et des yeux violets, tandis que les Noldor se distinguent par leurs cheveux et leurs yeux sombres, les Teleri par leurs cheveux châtains et leurs yeux gris. Parmi ceux-ci, Sindar et Nandor, qui ne sont jamais allés dans l'Ouest, se reconnaissent à leur stature moins imposante, leur peau plus bronzée, leur regard moins lumineux.

Portrait

Les Elfes ressemblent beaucoup aux hommes, mais ils les dépassent par la taille (1, 80 m à 2 m). Ils ne peuvent mourir de vieillesse ni de maladie, ils restent éternellement jeunes. Ils résistent au froid et à la fatigue sans avoir besoin de sommeil, ils se reposent en rêvant les yeux ouverts. Ils guérissent rapidement de leurs bles-

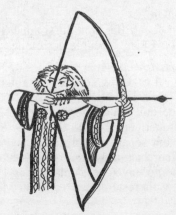

sures sans garder de cicatrices. Leur ouïe comme leur vue sont spécialement fines, même de nuit. Legolas distingue à des kilomètres les plus petits détails et Gandalf utilise ses dons pour guider la compagnie. Ils savent se déplacer en silence, tant ils marchent légèrement, presque en effleurant le sol.

Minces et naturellement élégants, le teint clair et le regard serein, ils surprennent par leur beauté, ils apparaissent comme auréolés d'une lumière toute spirituelle.

Première rencontre avec les Elfes :

« Soudain apparut en bas un cheval blanc, luisant dans l'ombre [...]. Dans le crépuscule sa têtière scintillait et étincelait, comme cloutée de gemmes semblables à de vivantes étoiles. Le manteau du cavalier flottait derrière lui [...] ; ses cheveux dorés volaient, chatoyants, au vent de sa course. Frodon eut l'impression qu'une lumière blanche brillait au travers de la forme et des vêtements du cavalier comme au travers d'un mince voile » (t. 1, I, p. 283).

Caractère et aptitudes

Tolkien les a dotés des talents qu'il jugeait essentiels comme l'art de la danse et du chant. En eux, vivent le passé d'Arda et le souvenir rêveur de la terre des dieux. Chaque peuple elfe a développé un peu différemment ses qualités : les Vanyar sont de remarquables musiciens, les Noldor surpassent les autres au combat et sont habités d'une soif de connaissance qui les mène parfois au désastre, les Teleri séduisent par la pureté de leur chant et construisent de fins vaisseaux. Les Elfes peuvent aussi être des artisans inventifs, ils ont conçu pendant l'histoire d'Arda quelques merveilles comme les Silmarils, joyaux de lumière, ou les Anneaux de pouvoir, mais leurs inventions suscitent les convoitises et déchaînent contre leur gré des catastrophes.

De nature pacifique, voire pacifiste, les Elfes ont été contraints par les entreprises de Sauron à prendre les armes pour défendre leurs forêts, leurs valeurs et leur vie. Ils inspirent l'admiration et même la dévotion chez les êtres purs (comme on peut le constater pour Bilbon et Gimli), mais ils excitent dans les cœurs pervertis une jalousie féroce, une envie sauvage de les détruire, de les mutiler ou de les souiller. C'est ainsi que Sauron a transformé certains d'entre eux en Orques.

Habitat

Les Galadrim (« peuple des arbres ») vivent dans des *talan*, demeures aménagées dans les arbres de la Lórien [1]. La demeure d'Elrond semble plus conventionnelle, elle se rapproche d'un manoir médiéval avec des salles réservées aux festins, aux conseils, aux veillées.

Mœurs et mode de vie

Les Elfes ont une véritable passion pour les chants et les récits d'autrefois ; devant le feu, ils ne se lassent pas de conter toute la nuit. Sam ou Frodon les écoutent avec émotion, et le roman reproduit plusieurs de ces chants. Une sorte de piété imprègne toutes leurs attitudes, ils révèrent spécialement parmi les dieux Varda, dame des étoiles. Dès leur première apparition dans le roman (t. 1, I, pp. 113-114), ils s'annoncent par un hymne à cette déesse qu'ils appellent *Elbereth*.

Ils respectent toutes les créatures d'Ilúvatar : Elfes, Hommes ou plantes. C'est ce qui leur donne ce goût et ce souci très écologique de la Nature dont ils apprécient surtout les arbres et les eaux. Même en tissant leurs vêtements, ils imprègnent ce qu'ils fabriquent de cet amour, si bien que leurs manteaux prennent la couleur de « la feuille et de la branche, de l'eau et de la pierre » et que nul ne les aperçoit, fondus dans le paysage.

Ils vivent souvent sous des régimes monarchiques et apprécient l'ordre et la hiérarchie. Par tous ces aspects, ils évoquent davantage les Anglais que les peuples-fées !

---

1. Description détaillée dans « La Lórien », p. 63.

Langage

« *Ai na vedui Dúnadán ! Mae govannen !* » (t. 1, I, p. 283).

Initiateurs de ce mode de communication en Terre du Milieu, les Elfes inventent aussi l'écriture avec les runes ou *cirth*. Ils parlent d'abord le *quenya*, appelé ensuite « ancienne langue » ou « haut-elfe » : certains noms propres en conservent la trace. Leur langue usuelle devient le *sindarin*, belle langue mais moins lyrique que le quenya et plus sujette aux évolutions phonétiques. La plupart des étymologies indiquées pour les noms de lieux ou de personnes renvoient à ces langages. Les Dúnedain adoptent le sindarin, de nombreux mots sindarin passent dans le langage des hommes, l'*ouestrain*.

Rôle dramatique

Les Elfes apparaissent comme des Veilleurs : ils voyagent beaucoup à travers la Terre du Milieu, en éclaireurs, pour s'informer des avancées de l'Ennemi et pour voir comment les endiguer. Ils participent à la création du Conseil Blanc qui enquête sur les menées de Sauron et mandate Gandalf pour explorer Dol Guldur. Ils gardent une parfaite connaissance du passé qui leur permet de rester lucides et de comprendre le tour que peuvent prendre les événements. Les plus nobles semblent avoir une prescience de l'avenir. Leur aide est déterminante : leur « pain de route », le *lembas*, sorte de galette azyme, est la seule nourriture de Frodon et de Sam pendant des jours en Mordor, les manteaux elfiques les dissimulent aux regards ennemis. Elrond ramène à la vie Frodon gravement blessé par la lame mortelle des Nazgûl. Les pouvoirs de Galadriel sont assez forts pour contrer ceux de Sauron, les objets et les conseils qu'elle donne aux Compagnons les sauveront. Sans les Elfes donc, la Quête de l'Anneau n'aurait pas été entreprise et n'aurait pas réussi.

La fin du roman voit un accomplissement avec le mariage d'Arwen et d'Aragorn qui inaugure une ère nouvelle, et un achèvement : les Elfes, pour la plupart, quittent la Terre du Milieu en s'embarquant aux Havres Gris.

Quelques représentants marquants

– Arwen, Elrond, Galadriel [1] et Legolas sont présentés parmi les personnages p. 149.

– Celeborn, « arbre d'argent », prince Sindar, époux de Galadriel. Il mène à la fin du roman l'armée de la Lórien contre Dol Guldur. Il joue, sinon, peu de rôle dans le roman.

– Elladan et Elrohir, fils jumeaux d'Elrond et de Celebrían. Ils chevauchent toujours ensemble, par exemple pour venir prêter main forte à Aragorn. Cheveux foncés et yeux gris, ils se ressemblent parfaitement (t. 3, V, p. 61).

– Gildor (t. 1, I, p. 115), Elfe vivant à Fondcombe. Chef du groupe rencontré par les Hobbits au tout début de leur expédition, il donne des informations à Frodon.

– Glorfindel (t. 1, I, p. 282), « cheveux d'or », puissant seigneur elfe vivant à Fondcombe. Il vient à la rencontre de Frodon et de ses compagnons pour les protéger jusqu'à Fondcombe ; il combat les Nazgûl au gué du Bruinen.

– Ancêtres mythiques évoqués dans le récit :

Lúthien, fille de Thingol et de Melian, aïeule d'Arwen, fut l'héroïne d'un beau et tragique roman d'amour. Éprise d'un Humain, Beren, elle l'aida à accomplir des exploits héroïques ; en raison de la force de sa passion, elle obtint le privilège d'une seconde vie après la mort avec son bien-aimé. Ce fut la première union entre Elfes et Humains. Sa grâce et son amour ont inspiré de nombreux chants. Aragorn compare Arwen à Lúthien au moment de leur rencontre.

La lignée de Lúthien et Beren poursuit ces alliances originales : leur fils Díor épouse une princesse elfe, mais leur petite-fille Elwing choisit un Humain, Eärendil.

Eärendil (t. 1, II, p. 312), le marin, se lance audacieusement à travers les mers vers l'Ouest pour aller supplier

1. On trouvera p. 162 la généalogie de leur famille.

les dieux d'aider les créatures d'Endor emportées dans une folie guerrière. Il obtient cette miséricorde ; il est transformé ensuite avec son bateau en étoile, et sa femme guette son passage au-dessus d'Aman pour le rejoindre sous la forme d'un oiseau. Ils représentent aussi cet amour plus fort que la mort et que les tragédies du destin. Aragorn et Arwen suivent leur exemple.

Passages

Particulièrement à Fondcombe, de la rencontre de Glorfindel (t. 1, I, p. 282) au deuxième franchissement du gué (t. 1, II, p. 374), et dans la Lórien (t. 1, II, pp. 447-501).

Sources

Les Elfes apparaissent dans les religions nordiques et germaniques comme des êtres supérieurs dont la route croise souvent celle des dieux. Ils donnent à la terre sa fertilité, gardent les esprits des morts et protègent les hommes qui leur rendent un culte, particulièrement au moment du solstice d'hiver. Dans les légendes plus récentes, ils revêtent forme humaine : les Elfes clairs sont bénéfiques, les Elfes sombres ont le pouvoir de rendre malades ou fous. On les retrouve dans les ballades populaires comme la légende de Thomas le Rimeur. Ils ont également bien des traits des « Belles Gens », nom sous lequel les contes désignent les êtres féeriques. Tolkien s'est inspiré de ces diverses légendes pour rêver ses Elfes.

On peut penser aussi aux dieux antiques grecs qui se manifestent parfois parmi les hommes et qu'un œil exercé peut reconnaître à leur éclat et à leur taille plus qu'humains.

Les Nains

L'existence des Nains est encore attestée parmi les Peuples Libres dans *Le Seigneur des Anneaux*, mais on ne voit vraiment que l'un d'eux, Gimli. Ils vivent retirés sous de lointaines montagnes tout en participant ardemment aux combats contre les créatures de Sauron. Dotés de qualités de fond plutôt que de surface, ils ne sont pas séduisants mais solides, ils s'illustrent par leurs vertus guerrières et l'élaboration d'œuvres admirables.

Nom

Les autres races les appellent volontiers « peuple de la Montagne » tandis qu'ils préfèrent se désigner par le nom que leur a donné Aulë, les Khazâd.

Histoire

Aulë, le Dieu-Forgeron[1], dans l'enthousiasme des commencements, a voulu former lui aussi des créatures comme le faisait Ilúvatar. Ses intentions n'étaient pas mauvaises, mais n'entraient pas dans le projet du dieu créateur. Celui-ci a donc laissé subsister les Nains tout en exigeant qu'ils ne viennent pas à la vie avant les Elfes. Les créatures d'Aulë reflètent sa personnalité et ses goûts : le travail acharné, les talents d'artisan. Il y avait à l'origine Sept Pères des Nains qui donnent naissance à sept lignages et gouvernent sept peuples. Le plus connu est celui de Durin.

Les Nains ont passé le plus clair de leur temps à exploiter les mines, à forger et à bâtir, en se souciant assez peu des autres habitants de la Terre du Milieu. S'ils entretiennent des relations tantôt amicales, tantôt orageuses avec leurs voisins, les Elfes[2] et les Hommes, ils détestent d'emblée et combattent sans merci les Orques et autres créatures de Sauron. L'Ennemi a réussi à s'emparer des Sept Anneaux des Nains mais les Nains ont résisté à toutes les tentatives faites pour les corrompre. Glóin est venu à Fondcombe, au livre II, rapporter le dernier essai de Sauron : l'envoi d'un cavalier, chargé de trouver la trace des Hobbits.

---

1. Comme le raconte *Le Silmarillion*, pp. 36-37, éd. Pocket.
2. Les Nains de la Moria associent leurs talents avec les Elfes de l'Eregion par exemple au moment de l'invention des Anneaux ; à d'autres époques ils se brouillent avec eux.

Portrait

De petite taille (entre 1,30 m et 1,60 m), trapus et robustes, ils résistent bien aux maladies et vivent vieux : 150 à 200 ans ; certains atteignent exception-nellement 400 ans. Les yeux enfoncés, les cheveux noirs, les hommes portent tou-

jours la barbe. Les femmes sont peu nombreuses (à peine un tiers de la population). Ils se marient tard, pas avant 100 ans, et ont peu d'enfants.

Marcheurs infatigables, ils ont une excellente vue dans le noir.

Leurs vêtements colorés sont pourvus de capuchons.

Leur arme favorite reste la hache mais ils utilisent aussi des armes de poing et des arbalètes.

Caractère, aptitudes, mode de vie

Très indépendants, ils défendent jalousement leur liberté et rejettent avec horreur tous les liens ; c'est ce qui leur permet de résister au pouvoir grisant des Anneaux. Ils préservent jalousement leurs secrets comme le marque l'existence d'une langue destinée à leur usage exclusif. Ils restent sur la réserve et nouent peu de vraies amitiés. Obstinés et vindicatifs, ils gardent longtemps le souvenir des insultes. Ils se méfient des Hommes qu'ils jugent cupides et ambitieux, ils auraient tendance à mépriser les Hobbits, bref ils paraissent assez xénophobes. Mais lorsqu'ils choisissent un camp, ils font preuve d'une loyauté indéfectible ; lorsqu'ils choisissent un ami, c'est à la vie, à la mort, ainsi que l'illustrent les relations fidè-les entre Bilbon et ses compagnons d'aventures et le couple étonnant que forment Gimli et Legolas. C'est ainsi que Gimli sera le premier et le seul de sa race à quitter Endor pour Aman par amitié pour Legolas.

Travailleurs persévérants, adroits et inventifs, ils manifestent des talents manuels évidents. Ce sont les meilleurs mineurs et tailleurs de pierre, d'excellents forgerons et orfèvres. Ils élaborent des œuvres solides, pratiques et esthétiques. Parmi leurs chefs-d'œuvre, la cité souterraine de Khazad-Dûm ou les aménagements du Val (t. 1, II, p. 307), la cotte de mailles en mithril offerte à Bilbon puis donnée par lui à Frodon. À la fois légère et souple, elle protège des coups les plus violents ; elle vaut, dit-on, plus cher que la Comté tout entière.

Leurs qualités ont leur revers. Ils aiment passionnément l'or, ce qui peut les entraîner à des choix regrettables. Ils sont parfois égarés par leur orgueil ou leur vanité. Ils se vantent volontiers : « La langue des Nains va toujours, dit-on, quand ils parlent de leur œuvre », reconnaît avec humour Glóin. Mais les conséquences sont plus graves quand ils veulent creuser jusqu'aux entrailles de la terre : ils réveillent un monstre dans la Moria.

Fort disciplinés, ils vivent sous régime monarchique. Leur nombre est si peu élevé que leurs peuples semblent en voie de disparition.

Habitat

Ils ont une véritable passion pour la pierre et le rocher, aussi solides qu'eux et dont ils semblent formés. Ils s'installent dans des grottes naturelles et creusent des galeries sous les montagnes. Ils regrettent toujours leur habitat ancestral sous les Monts de Brume, dans la Moria [1], la cité de Khazad-Dûm, extraordinaire ville souterraine, « merveille du monde occidental ». Ils sont établis dans l'Erebor, le Mont Solitaire.

---

1. Description et historique plus détaillés dans « La Moria », p. 69.

Langage

Le *khuzdul* est un langage secret que les Nains ne parlent qu'entre eux ; en compagnie, ils se servent par exemple des langages courants des Humains.

Rôle dramatique

Ils interviennent de façon mineure dans le récit. Ils vivent dans le Nord lointain où ils luttent au quotidien contre les Orques et les loups. La fin du roman évoque les grandes batailles qui leur permettent d'exterminer ces ennemis.

Ils envoient deux émissaires chez les Elfes pour discuter des menaces de l'heure. Gimli représente leur espèce dans la Compagnie de l'Anneau. Il colonise à la fin de l'histoire les cavernes d'Aglarond ; ses sujets restaurent la citadelle de Minas Tirith.

Représentants

Gimli est décrit avec les Compagnons de l'Anneau, p. 147.

Glóin : « le Glóin » comme l'appelle respectueusement Frodon qui a entendu raconter ses exploits (t. 1, II, p. 305), un des compagnons de Bilbon dans ses aventures. D'aspect imposant, longue barbe blanche et vêtements neigeux, il est fort riche comme le montre sa parure d'argent et de diamants. Il s'inquiète de la situation en Erebor et vient avec son fils à Fondcombe consulter les Elfes. C'est lui qui résume l'histoire récente et présente des Nains pour Frodon.

Dain (2767-3019) : en 3018, il est Roi sous la Montagne et fabuleusement riche. Guerrier vaillant, il s'est illustré dans maints combats. À la fin du roman, il meurt dans une des dernières batailles du 3e Âge en voulant protéger son ami le roi Bard.

Thráin (2644-2850), roi des Nains, qui s'est héroïquement battu contre les Orques. Entraîné par le désir de trouver de l'or, il entreprend une expédition dangereuse vers l'Erebor ; il est capturé par Sauron, emprisonné à

Dol Guldur et torturé pendant cinq ans. Son Anneau de pouvoir lui est arraché, mais il a le temps de raconter son histoire à Gandalf avant de mourir.

Balin (2763-2994), ami de Bilbon, participe à ses aventures. Il s'installe ensuite en Erebor, puis recolonise Khazad-Dûm dont il devient Roi (2989-2994). Il est tué par les Orques. La Compagnie de l'Anneau découvre dans la Moria son tombeau et la relation de ses derniers jours.

Passages

Outre ceux qui concernent Gimli, les récits de Glóin à Fondcombe (t. 1, II, pp. 305-307) et la traversée de la Moria (t. 1, II, ch. IV et V).

Sources

L'image des Nains mineurs et râleurs est assez traditionnelle dans les contes de fées ; peut-être aussi un souvenir de l'Alberich cupide des Nibelungen, prêt à tout pour garder son trésor. Mais globalement le jugement de Tolkien sur ces travailleurs de choc est très positif. S'identifie-t-il un peu à ces êtres discrets et énergiques, qui ne brillent pas mais agissent, et sont capables à leurs heures d'élans romantiques par pur amour de la Beauté ?

Les Hommes

Les Hommes de la Terre du Milieu, bien plus nombreux que les autres races, sont groupés en peuples qui se distinguent les uns des autres par leur origine et leur habitat comme par leur culture. Leurs choix idéologiques déjà les séparent : ceux qui, de gré ou de force, se trouvent dans les troupes de Sauron, sont appelés « Hommes de l'Ombre » ; les autres, plus ou moins fermement engagés contre Sauron, se rattachent de près ou de plus loin aux Edain. Les grandes batailles de la fin du 3e Âge permettent l'avènement des Hommes : race du présent et du futur, ils vont évincer les autres qui s'effacent dans un halo de légende.

Seuls les Hobbits, que frappe leur taille (ils les surnomment « les Grandes Gens »), s'étonnent de leur aspect ; les autres races sont accoutumées à les rencontrer. De façon générale, les gens de la Terre du Milieu, les Nains en particulier, ne semblent pas tenir les Hommes en haute estime : ils les jugent cupides, sournois et globalement peu dignes de confiance. Ils apprendront à apprécier certains Hommes nobles en les connaissant mieux et en luttant à leurs côtés.

• Les Edain

Nom et origine des peuples

Edain signifiant « Seconds-Nés », le terme devrait désigner tous les Hommes, enfants d'Ilúvatar qui se sont éveillés à la Lumière après les Elfes. Le nom toutefois se spécialise pour qualifier les Trois Maisons des « Hommes amis des Elfes ».

Attirés par la lumière de l'Ouest, les Edain entrent en Beleriand[1] au IVe siècle du 1er Âge ; ils rencontrent les Elfes qu'ils admirent au point d'entrer à leur service et de combattre vaillamment à leurs côtés contre l'Ennemi. Certains, qui se sont réfugiés loin des champs de bataille, s'éclipsent de l'Histoire jusqu'au 3e Âge.

Massacrés par les hordes de Morgoth, les Edain sont sauvés in extremis par les dieux que le héros Eärendil[2] est allé supplier. Beaucoup, fascinés par l'Ouest, suivent les dieux qui créent pour eux une île merveilleuse, Númenor, à mi-chemin entre Endor et Aman : les Valar transforment leurs corps, qu'ils rendent plus beaux, plus grands et plus solides ; leur vie dure plusieurs centaines d'années. Ils reçoivent le nom de Dúnedain. D'autres préfèrent rester en Endor ; nommés pour cela « Hommes du crépuscule », ils colonisent les plaines de l'Anduin. C'est

1. Voir carte p. 47.
2. Voir son histoire résumée p. 100.

d'eux que descendent les gens de Rohan et les Hommes du Nord, les Hommes des Bois et les Hommes de Dale [1].

• Les Dúnedain

Nom

Dúnadan : « homme de l'Ouest » ; pluriel : Dúnedain. Appelés aussi « Hommes de l'Ouest » ou encore « de l'Ouistrenesse ».

Histoire

Après le cataclysme qui a détruit l'île pécheresse de Númenor, quelques justes ont été sauvés et ont pu gagner la Terre du Milieu sous la conduite d'Elendil. Ils y fondent deux royaumes, l'un au nord, Arnor, l'autre au sud, Gondor.

Au 3ᵉ Âge, Arnor est peu à peu rongé par le pouvoir de Sauron et ses habitants décimés par les guerres et les maladies. La poignée de survivants, secourus par Elrond, constitue la vaillante troupe des **Rôdeurs**. D'allure un peu louche et de mauvaise réputation (on peut le voir aux premières réactions des prudents Hobbits) parce qu'ils sont des errants, sans feu ni lieu, ils ne cessent de guetter les exactions de Sauron et transmettent au plus vite les nouvelles. En combattant les Orques et autres viles créatures, ils protègent les Hobbits et les autres Hommes. Ils obéissent aux descendants de leur premier roi, Isildur, dont la lignée ne s'est jamais interrompue. C'est ainsi qu'ils rejoignent Aragorn, leur chef secret et l'Héritier caché, pour les batailles finales.

« Ce sont des hommes forts et majestueux, et les Cavaliers de Rohan ont presque l'air de gamins à côté d'eux ; car ils ont le visage farouche, marqué [...] comme

1. Glóin les évoque dans son récit à Frodon, lorsqu'ils se retrouvent à Fondcombe. Ces hommes habitent au nord sur les pentes de l'Erebor et se sont alliés avec les Nains qui ont construit leur cité et qui combattent comme eux les Orques de Sauron.

des rocs altérés par les intempéries, [...] et ils sont silencieux. Mais [...] courtois quand ils rompent leur silence » (t. 3, V, pp. 57-58).

Les Hommes de Gondor se sont davantage gâtés, amollis par les plaisirs et surtout égarés par une ambition excessive et un orgueil démesuré [1]. Le double et fatal exemple de Boromir et de Denethor montre à quels désastres un tel égocentrisme peut conduire : il donne au Mal prise sur eux. Les mariages mixtes ont altéré leurs qualités quand ils ont épousé des Hommes de moins bonne extraction, mais les ont préservées, voire encore ennoblies, quand ils se sont alliés aux Elfes comme les Princes de Dol Amroth.

Portrait

« Frodon vit que c'étaient de beaux hommes, à la peau pâle et aux cheveux sombres, avec des yeux gris et un visage triste et fier. Ils se parlaient d'une voix douce, usant au début du langage commun, mais à la façon d'autrefois, puis passant à une autre langue qui leur était particulière. À sa stupéfaction, Frodon s'aperçut en les écoutant que c'était de l'elfique ou un idiome approchant, et il les regarda avec étonnement, car il savait que ce devait être des Dúnedain, hommes de la lignée des Seigneurs de l'Ouistrenesse » (t. 2, IV, p. 355).

Les lignées princières se distinguent par une allure plus fière encore, souvent par une plus grande finesse intellectuelle, parfois par un don de double vue. Les Rois vivaient trois fois plus longtemps que les hommes ordinaires, soit 210 ans environ ; à l'époque où se déroule *Le Seigneur des Anneaux*, leur vie a raccourci mais ils semblent encore atteindre aisément les 150 ans. À 85 ans, Aragorn a toute la vivacité d'un jeune homme.

Bien qu'ils soient supérieurs aux autres Hommes par

1. Historique très sombre présenté par Faramir au livre IV, p. 383.

la noblesse de leur esprit et leur prestance physique, les Dúnedain ne sont pas à l'abri de la tentation et le désir de pouvoir peut les attirer du côté obscur, si bien que Sauron parvient à en retourner quelques-uns[1].

Société et mode de vie

Les sociétés des Edain, issues des anciens Royaumes, semblent en pleine décadence : bandes errantes au Nord, terres à l'abandon au Sud. Pourtant Gondor garde les reliques d'une culture d'ordre. L'architecture de la cité de Minas Tirith en est comme l'emblème : la colline aux cercles concentriques figure l'organisation pyramidale de la société, de la piétaille au seigneur. Dans ce régime très féodal, règne la loi du Père. Faramir ne discute pas les ordres de Denethor ; Beregond, alors même qu'il a sauvé la vie de son maître Faramir, doit être jugé pour avoir enfreint les volontés du suzerain devenu fou. L'étiquette des cérémonies, des horaires, des repas est très stricte, comme Pippin le découvre dans son service d'écuyer. Mais à Minas Tirith, cette vie médiévale a pris les couleurs morbides du formalisme[2]. En revanche, les usages gardent leur force et leur sublime beauté quand ils sont pratiqués avec une foi réelle : Frodon, très impressionné par la prière de Faramir à Henneth Annûn avant le repas, se sent rustre et dépourvu d'éducation.

Langage

Comme le montre le texte cité ci-dessus, les Dúnedain parlent à la fois l'ouestrain et les langues elfiques.

Rôle dramatique

Au début du roman, les Edain sont divisés. Mais le sursaut qui les fédère autour d'Aragorn leur permet, avec

1. Ils figurent donc ci-dessous dans « Les Hommes de l'Ombre ».
2. La première entrée de Gandalf et de Pippin dans le palais de Denethor, reproduite p. 74, donne le frisson.

le concours des autres races, de vaincre Sauron et de faire renaître un Royaume uni et organisé. Ils forment le gros des troupes dans les batailles. Dès le début, le groupe des Rôdeurs, plus conscients et plus engagés que les autres dans la lutte contre le Mal, joue un rôle moteur.

Le récit, qui commence avec les Hobbits, puis fait découvrir les Elfes et autres races anciennes, annonce la prise de pouvoir du 4e Âge en donnant de plus en plus de place aux personnages humains.

Figures

– Aragorn, Denethor, Boromir et Faramir sont décrits plus loin, pp. 136 et 155.

– Imrahil « le Blond » (couleur de cheveux héritée d'ascendances elfes et númenoréennes), prince de Dol Amroth, rejoint l'armée des Edain devant Minas Tirith et contribue à la victoire. Il gouverne Minas Tirith pendant l'expédition finale et la maladie de Faramir.

– Dans le roman, le lecteur a l'occasion de croiser maints guerriers loyaux, tout dévoués à leurs seigneurs, comme Mablung et Damrod qui accompagnent Faramir en patrouille en Ithilien, ou Halbarad le Rôdeur qui vient apporter à Aragorn son soutien et meurt à la bataille du Pelennor en brandissant son étendard. On connaît un peu mieux Beregond, serviteur loyal de Faramir, qui avec son fils fait découvrir à Pippin les rues et les coutumes de Minas Tirith.

Ancêtres mythiques

– Elendil « le Grand », Dúnadan de Númenor, pieux et habile marin, a pu sauver sa famille et ses proches lors de l'engloutissement de Númenor. Il fonde en Endor le royaume d'Arnor et Gondor dont il devient le premier Roi. Chef avec son ami, l'Elfe Gil-Galad, de la Dernière Alliance des Elfes et des Hommes à la fin du 2e Âge, il prend une part déterminante à la victoire sur Sauron, mais il est tué, ainsi que Gil-Galad, dans ce duel ultime. Son épée, Narsil, est brisée. « Elendil » est le cri de guerre des Dúnedain.

– Anarion, son fils cadet, deuxième roi de Gondor, est tué devant Barad-Dûr.

– Isildur, son fils aîné, roi de Gondor avec son frère, avait dérobé à Númenor un fruit de l'Arbre Blanc ; il le plante dans la cour de Minas Anor (Tirith). Il se tient près de son père à la bataille finale contre Sauron et règne ensuite deux ans sur Arnor et Gondor. Mais il a commis l'erreur de s'emparer de l'Anneau en coupant le doigt de Sauron. Cette audace attire le malheur sur lui, il périt misérablement dans une embuscade aux Champs d'Iris ; l'Anneau glisse dans la rivière. Isildur est l'ancêtre d'Aragorn.

• Les gens de Rohan

Nom

Les gens de Gondor les appellent **Rohirrim,** « maîtres des chevaux », Hommes du Nord ou Cavaliers de la Marche tandis qu'ils se nomment eux-mêmes Eorlingas, « fils d'Eorl ». Les Orques les traitent avec mépris de « pale-freniers » ou de « Peaux blanches ».

Histoire

Ils descendent des Eothéod (« peuple des chevaux » en vieil anglais), Hommes habitant près des sources de l'Anduin, rattachés à la troisième Maison des Edain. Les Eothéod, pour avoir secouru le Gondor en 2510, reçoivent en récompense un fief qu'ils baptisent Rohan. En échange, ils se lient à ce royaume par le serment d'Eorl : il suffira de leur envoyer la Flèche Rouge comme signal de détresse pour qu'ils viennent apporter leur aide. Dans les siècles qui suivent, les Rois descendants d'Eorl organisent féodalement leur territoire dédié à l'élevage des chevaux.

Portrait

Ces beaux Hommes semblent « plus grands que les mortels », ils vivent jusque vers 80 ans en gardant toute leur force jusqu'au bout. Véritables centaures, lors de leur première apparition dans le roman, ils arrivent au galop en escadron groupé et manœuvrent avec une rapidité foudroyante en cercle autour de l'objectif. Leur voix forte et claire impressionne autant que leur aspect guerrier, cotte de mailles brillante et cimier flottant au vent.

> « Leurs chevaux étaient de grande stature et bien découplés [...]. Les Hommes qui les montaient s'accordaient bien avec eux : grands, les membres allongés ; leurs cheveux, d'un blond de lin, sortaient de sous leur casque léger et descendaient en longues tresses dans leur dos ; leur visage était dur et ardent. »

Aragorn présente ainsi leur caractère :

> « Ils sont fiers et opiniâtres, mais aussi loyaux et généreux de cœur et en action ; hardis, mais non cruels ; sages, mais ignorants ; n'écrivant pas de livres, mais chantant beaucoup de chansons, à la façon des enfants des Hommes avant les Années Sombres » (III, 36).

Eowyn, la blanche Dame de Rohan, frappe elle aussi par la noblesse de son maintien, son élégance aristocratique qui rappelle un très ancien passé.

Leurs valeurs chevaleresques se rattachent de même à ce monde d'autrefois. Une absolue loyauté et un respect sans faille pour leur Roi héréditaire et sa lignée. Un compagnonnage d'armes : le Roi même, premier d'entre eux, connaît chacun par son nom et pleure la mort de ses lieutenants. La courtoisie et la générosité que démontre amplement le don de chevaux. La clémence pour les vaincus à moins que ce ne soient des Orques, monstres envers qui il ne peut exister de merci. La protection des plus faibles, mis à l'abri lors du départ en campagne.

Mode de vie

Ils sont très attachés à leurs chevaux. Les Rois bénéficient de montures particulièrement belles et intelligen-
tes, les blancs *mearas*. L'Histoire et les chants retiennent
leurs noms. Celui du roi Théoden, Nivacrin, est honoré
d'un tombeau sur le champ de bataille. Les hommes se
groupent par escadrons (eoreds) sous l'autorité d'un
seigneur.

Leurs vertus guerrières se manifestent avec éclat[1] :
leurs charges collectives impressionnent par leur fougue,
le roman souligne leur ardeur vengeresse, leur « furie
blanche ». Leur vaillance dans les duels ne faiblit pas ;
que le combattant soit un vieillard comme Théoden ou
une femme comme Eowyn, il ignore la peur. Eomer
éclate d'un rire terrible et chante en s'élançant vers ce
qu'il croit être son ultime combat. Les guerriers sont
enterrés sur le champ de bataille, sous un tertre hérissé
de lances et couvert d'armes et de dépouilles. Ils aspirent
à cette « belle mort ». Les épopées glorifient ensuite, des
siècles durant, ces conduites héroïques.

Ils sont sensibles à un certain décorum : les salles de
leurs châteaux[2], les cérémonies ne manquent pas de
magnificence, ils prêtent serment avec solennité. Sponta-
nés, les hommes rient et pleurent, disent leurs affections
sans fausse pudeur, mais la femme semble plus secrète.

Langage

Ils communiquent avec les autres peuples en ouestrain
mais possèdent leur idiome : le rohirric.

Rôle dramatique

Ils s'annoncent d'abord sur la défensive, durs et
méfiants envers les étrangers en ces temps troublés. Ils

1. Scènes de combats à grand spectacle au gouffre de Helm
(t. 2, III, ch. VII) et devant Minas Tirith (t. 3, V, pp. 150-155 et
162).
2. On peut lire la description d'Edoras p. 71.

ont choisi le repli et revendiquent farouchement leur totale indépendance. Que leur importent les affaires du monde ! Mais Gandalf comprend assez vite que cette politique est le fait d'un mauvais conseiller. Et il réveille la volonté du Roi qui se joint à l'Alliance contre Sauron. Les Cavaliers rejoignent le champ de bataille devant Minas Tirith après une folle cavalcade et apportent un soutien militaire déterminant. C'est la Dame de Rohan, Eowyn, qui, avec l'aide de Merry, tue le Roi des Nazgûl.

Représentants

– Théoden, Eomer et Eowyn sont présentés pp. 153-154.

– Hama, capitaine de la garde royale, tombé au combat au gouffre de Helm.

– Erkenbrandt, gouverneur de Fort-le-Cor, se bat contre les troupes de Saroumane aux gués de l'Isen et revient à temps pour participer à la bataille du gouffre de Helm.

– Elfhelm : maréchal d'un escadron.

Ancêtre mythique

– Eorl « le Jeune » ou « le Blond » (2485-2545), seigneur des Eothéod et premier Roi de Rohan. Il répond à un appel du Gondor et combat Orques et Balchoth au Champ du Celebrant. Quand il reçoit le Rohan en fief, il promet de venir au premier appel de détresse du Gondor (serment d'Eorl) : il suffira d'adresser aux Rois de Rohan une flèche rouge. Il est tué dans une bataille contre les Esterlins. Tous les Rohirrim vénèrent le souvenir de ce grand guerrier, très habile cavalier ; dès l'entrée dans la salle du trône, on voit son image et le cri de guerre des Cavaliers est « En avant, Eorlingas ! ». Son cheval fut le premier des *mearas*[1].

1. Voir p. 122.

Sources

Avec leurs lances de frêne et leurs boucliers, ils évoquent les héros grecs des épopées d'Homère ou les anciens Germains qui utilisent la framée comme arme de trait. La rage qui les possède dans les combats rappelle aussi la fureur d'Achille par exemple ou la folie meurtrière qui s'empare de héros germaniques ou scandinaves. L'idéal de la « belle mort » et les rites funéraires renvoient aux mêmes civilisations.

• Les Woses

Les Woses, ou Hommes Sauvages des Bois, sont des hommes primitifs qui vivent dans la forêt de Drúadan en Anórien, à 30 milles au nord-ouest de Minas Tirith. Le roman les évoque brièvement[1] ; comme ils se cachent dans les bois, peu de gens les connaissent.

Petits et trapus, les sens particulièrement aiguisés, ils ont un physique disgracieux mais non repoussant. Vêtus d'une simple ceinture d'herbe, ils communiquent entre eux par tam-tam ou dans un idiome étonnant totalement étranger aux autres langages humains qui dérivent de l'adunaic. Ils savent aussi parler avec hésitation le Langage commun. Ils travaillent habilement le bois ; excellents chasseurs, ils utilisent des flèches empoisonnées. Certes leur culture est primitive, mais ils sont outrés d'être traités comme des sauvages. Ils se revendiquent comme des êtres libres, capables « de compter les étoiles dans le ciel, les feuilles sur les arbres, les hommes dans l'obscurité ». Ils sont fiers d'avoir habité la contrée bien avant tous les autres peuples. En petit nombre, ils semblent un « vestige des temps passés ».

Ils habitent la forêt de Drúadan au moins depuis le 2e Âge ; sans oser s'opposer directement à Sauron, ils le haïssent et le craignent. Ils se méfient à juste titre des autres Hommes qui les considèrent comme des bêtes : les

1. T. 3, V, pp. 138 à 144.

Rohirrim les chassent pour le « sport » ! Pourtant, en faisant taire leurs griefs, ils viennent avec dignité leur proposer leur aide parce qu'ils estiment prioritaire la lutte contre Sauron.

Leur chef, Ghân-Buri-Ghân, guide l'armée de Rohan dans une vallée cachée afin d'éviter l'armée des Orques massée sur la route de l'ouest. Aragorn, devenu Roi, leur garantit la propriété et l'usage exclusifs de la forêt en remerciement.

Tolkien s'est sans doute inspiré pour les décrire de tribus forestières, comme celles des Indiens d'Amazonie. Leur aspect évoque aussi les gnomes des légendes nordiques.

• Les Hommes de l'Ombre

Le lecteur connaît moins bien le camp ennemi, que les personnages ne visitent pas, sauf dans les brefs moments où ils sont capturés et se préoccupent plus des perspectives de fuite que des observations ethnologiques ! Ces autres peuples humains, qui habitaient au Sud ou à l'est des Royaumes, ont toujours été contrôlés par Sauron ou sont passés plus récemment sous sa domination. On les aperçoit surtout dans les combats où ils sont enrôlés dans les armées de l'Ennemi, aux côtés des Orques et autres créatures effroyables.

Les Hommes sauvages, reste des **Dunlendings**, ont été chassés de leur territoire quand le Gondor a donné le Rohan aux Cavaliers. Ils les haïssent donc profondément et Saroumane n'a aucun mal à les rallier pour attaquer Rohan. Grands, incultes, les cheveux noirs, très superstitieux, ils viennent du pays de Dun par la Trouée de Rohan.

Les **Orientaux (Esterlins)**, assez primitifs, occupent originellement le pays de Rhûn. Petits et carrés, ils ont la peau, les cheveux et les yeux sombres. Ils haïssent le

Gondor dont ils convoitent les richesses et l'ont envahi à plusieurs reprises, sans doute sur les incitations de Sauron.

Les Haradrim ou Suderons sont décrits plus longuement, sans doute parce qu'ils prêtent au pittoresque. Sam et Frodon les découvrent lors d'incursions en Ithilien. Gollum les peint avec une certaine naïveté tandis que Sam, horrifié, contemple un Suderon mort avant de connaître l'émerveillement de sa vie en voyant foncer un « oliphant » (*Mûmak* en langue du Sud), une sorte de gigantesque éléphant dressé pour le combat qui porte un caparaçon rouge et or et une tour de guerre sur le dos.

> « Ils ont un aspect féroce. Ils ont les yeux noirs, de longs cheveux noirs, et des boucles d'or aux oreilles. [...] Certains ont de la peinture rouge aux joues, et des manteaux rouges ; et leurs étendards sont rouges, comme l'est aussi la pointe de leurs lances [...]. Pas bon. De mauvais Hommes très cruels. Presque aussi mauvais que des Orques, et beaucoup plus grands. »
>
> « Ses vêtements écarlates étaient en lambeaux, son corselet de plaques d'airain imbriquées était arraché et taillardé, ses cheveux noirs tressés d'or étaient trempés de sang. Sa main brune étreignait encore la garde d'une épée brisée » (t. 2, IV, pp. 337 et 358).

Ils viennent du Harad, région située au sud de l'embouchure de l'Anduin, le Sud profond ! Ils n'ont jamais été amis du Gondor et au cours du 3e Âge, de nombreux affrontements ont déjà opposé les deux pays. Certaines tribus sont commandées par des Númenoréens Noirs. Sauron semble avoir su unir leurs forces pour attaquer Minas Tirith.

Les Númenoréens Noirs

Ils descendent des hommes du Roi de Númenor, qu'ils suivaient dans sa folie orgueilleuse. Ceux-ci avaient été corrompus par Sauron qui utilisait leur goût du pouvoir et leur désir de « connaissance mauvaise ». Comme ils occupaient des places fortes en Terre du Milieu, ils avaient échappé au raz de marée fatal. À la chute de Sauron, à la fin du 2e Âge, ils ont mêlé leur sang à celui des Haradrim qu'ils gouvernaient mais ont gardé intacte leur haine contre les Dúnedain de Gondor, héritiers de leurs adversaires en Númenor. Au 3e Âge, depuis leur fort d'Umbar, ils dirigent des razzias de pirates contre les côtes de Gondor mais les rois de Gondor parviennent à les vaincre.

Bouche-de-Sauron, lieutenant de Sauron, qui vient défier Aragorn et Gandalf lors de la bataille du Morannon est un Númenoréen Noir.

« À sa tête chevauchait une forme sinistre, de haute taille, montée sur un cheval noir, pour autant que ce fût un cheval ; car il était énorme et hideux, et sa face avait un masque terrible, ressemblant davantage à un crâne qu'à une tête vivante, et dans les orbites et les narines brûlait une flamme. Ce cavalier était tout de noir vêtu et noir était son heaume altier ; ce n'était pourtant pas là un Esprit Servant de l'Anneau, mais bien un homme vivant. C'était le lieutenant de la tour de Barad-Dûr, et son nom ne figure dans aucune histoire, car lui-même l'avait oublié, et il dit : « Je suis la Bouche de Sauron. » Mais on disait que c'était un renégat, issu de la race de ceux que l'on nomme les Númenoréens Noirs » (t. 3, V, p. 221).

Les Nazgûl étaient des Rois des Hommes. Ils sont passés dans l'autre monde.

Les Hobbits

Ces petites créatures discrètes et pacifiques, aimant la douce vie campagnarde, sont les surprenants héros de la Quête et des Guerres de l'Anneau. Nés pour jouer la comédie, semble-t-il, ils prennent une grandeur métaphysique et morale insoupçonnée. Tolkien les a inventés très semblables aux Hommes dans leur apparence, hormis leur taille réduite, mais leurs cœurs ont gardé la pureté des origines. Le prologue du *Seigneur des Anneaux* propose une mini-encyclopédie sur l'histoire et les mœurs des Hobbits.

Nom

« Hobbit » est l'équivalent du nom qu'ils se donnent : Kuduk, « ceux qui habitent dans les trous ». Les Hommes les appellent Periannath, « Semi-Hommes », ou encore Petit Peuple, Petites Gens.

Portrait

Ce sont les plus petits des êtres doués de parole, 65 cm à 1,30 m ; potelés, voire grassouillets, ils ont de grands pieds poilus, ce qui leur permet de marcher pieds nus sans souffrir du froid [1]. Ils résistent bien aux sorts, aux maladies et aux blessures. Ils vivent une centaine d'années et sont considérés comme adultes à 33 ans.

Adroits de leurs mains, ils savent cultiver la campagne pour en faire un jardin.

Paisibles et bons vivants, ils aiment les repas copieux et arrosés ainsi que le tabac (ils fument la pipe). Ils organisent souvent d'amicales réunions et adorent les fêtes. Très casaniers, ils se déplacent peu, et à peine éloignés de chez eux, ils sont pris d'une douloureuse nostalgie. On mesure l'effort qu'a pu leur coûter le départ de Comté vers l'Inconnu. Leur enracinement dans leur terre constitue sans doute une partie de leur force.

---

1. Les pages 10 à 12 du Prologue tracent leur portrait.

Politiquement conservateurs, ils détestent tout ce qui s'écarte de la routine et des saines traditions. Ils se laissent volontiers aller aux commérages et se méfient des étrangers au point d'être franchement xénophobes. L'aventure contrecarre les habitudes de nos héros et détruit sur bien des points leurs préjugés.

Ils parlent le hobbit, un patois dérivé du ouestrain.

Habitat

Ils aménagent coquettement des trous confortables dans les collines ou des chaumières dans les champs et les prés de la Comté. Quelques-uns ont établi un village à Bree, à côté de celui des Hommes.

Histoire

Quoique créés au 1er Âge, les Hobbits qui vivent dans les plaines du haut Anduin sont si discrets qu'ils passent inaperçus de tous les autres peuples. Cette semi-clandestinité est une de leurs grandes forces et un atout dans la guerre contre Sauron, car celui-ci les a si peu remarqués qu'il a oublié leur existence. Ils n'entrent dans l'Histoire qu'au 3e Âge où ils entreprennent de migrer les uns après les autres à l'ouest des Monts de Brume, pour fuir le mal qui gagne la Forêt Noire. Ils se répartissent en trois peuples, les Forts, les Pieds-Velus et les Pâles. La majorité des Hobbits vient habiter la Comté, au cœur de l'Eriador ; ils y vivent insoucieux, protégés sans le savoir par Gandalf et les Rôdeurs.

La quête de l'Anneau les entraîne dans le mouvement de l'aventure.

Rôle dramatique

Le premier, Bilbon a quitté la Comté pour vivre d'exaltantes aventures dont il a rapporté l'Anneau, imprudemment volé à Gollum. Il le cache soixante ans, non sans s'y attacher. Quand il décide, à 111 ans, de partir pour rejoindre les Elfes, il le donne à Frodon. C'est ce qui entraîne celui-ci et ses quatre compagnons dans une grandiose épopée. En détruisant l'Anneau, Frodon et

Sam sauvent le monde civilisé ; Merry et Pippin accomplissent des exploits chevaleresques. Du coup, les Hobbits figurent en bonne place dans les chants et les chroniques du 4e Âge.

Conséquence imprévue de leur engagement : Saroumane se venge de leur intervention en polluant et asservissant la Comté. La fin du roman se consacre donc à sa libération.

Sources

Est-il besoin d'insister sur les nombreux parallèles entre les Hobbits et les Anglais de la Seconde Guerre mondiale ? Ces amateurs de fish and chips savent accepter les rationnements et ces patriotes paisibles peuvent résister aux agressions et permettre une victoire internationale !

Ils gardent bien sûr certains traits des nains amicaux des contes. Parfois ces petites gens qui aiment les goûters sucrés et les belles histoires, rappellent les enfants des hommes.

Les **chevaux** ne sont pas de vulgaires montures ; les plus nobles d'entre eux, les *mearas* du Rohan, deviennent de véritables personnages. Comme les chevaliers, leur lignée remonte à un ancêtre glorieux, le Felaróf du roi Eorl. Ils ne se laissent monter que par le Roi de la Marche et ses descendants et sont honorés d'un tombeau à leur mort. Blancs ou gris, ils jouissent d'une force et d'une beauté exceptionnelles. Ils vivent environ 80 ans. Rapides et infatigables, ils sont aussi dotés d'une intelligence qui leur fait deviner la volonté de leur maître. Nivacrin, cheval de Théoden, faiblira pourtant devant le Roi-Sorcier. Gripoil, donné à Gandalf, s'accorde à merveille avec le magicien.

Les **Aigles** bénéficient dans le roman d'une majuscule en tant qu'envoyés des dieux, plus particulièrement de Manwë, dieu des airs et premier des Valar, qui les a créés avant l'éveil des Elfes. Seigneurs de tous les animaux, dès le 1er Âge, ils participent aux combats des Elfes et des Hommes contre Morgoth. Au 2e Âge, beaucoup d'entre eux s'en sont allés habiter Aman. De là, ils sont venus avertir les gens de Númenor du cataclysme imminent. Au 3e Âge, les Aigles qui nichent dans les Monts de Brume, dirigés par Gwaihir, aident efficacement Gandalf en surveillant les préparatifs de Sauron. Ils libèrent le Mage prisonnier au sommet d'Orthanc et le ramènent au monde après son combat contre le Balrog sur les hauts sommets ; ils récupèrent, à la fin de la Quête, Frodon et Sam sur les pentes du volcan. Bref ils jouent un rôle d'anges gardiens ! Assez vigoureux pour porter un homme, ils vivent si longtemps qu'ils paraissent immortels. Ils savent parler les langues des Elfes et celles des Hommes.

ESPÈCES DIABOLIQUES

Pour devenir Maîtres du Monde, Morgoth, puis Sauron ont besoin de créatures obéissant aveuglément à leurs désirs ; ils ne possèdent pas le pouvoir de créer, mais ils savent, par manipulation génétique ou psychique, déformer des êtres existants. Ainsi, de même que Sauron est un Maiar dévoyé, chaque créature des dieux a un double perverti. La vie de ces monstres dépend très étroitement de celle de leur maître comme le montre leur fin misérable : « Les créatures de Sauron, Orques, Trolls ou bêtes asservies par un charme, couraient stupidement de-ci delà ; certaines se tuaient, se jetaient dans les puits ou s'enfuyaient en gémissant pour se cacher dans des trous et de sombres endroits sans lumière, loin de toute espérance » (t. 3, VI, p. 309)

Les Nazgûl

Nom

Les Esprits Servants de l'Anneau ou les Neuf.

Origine

Neuf Seigneurs humains, asservis par Sauron au 2e Âge. Il leur a donné un Anneau de pouvoir qui a réalisé tous leurs fantasmes de domination mais, puisqu'ils l'ont utilisé pour leur profit, ils se sont retrouvés esclaves de l'Anneau Unique[1].

Portrait

Sortes de morts vivants, ils ne possèdent pas de corps et agissent comme des émanations de la volonté de leur maître qui pense et sent « à travers » eux. Aveugles, ils bénéficient de sens aiguisés (odorat, toucher) qui pallient ce handicap et leur donnent l'avantage dans le noir ; ils voient toutefois ceux qui sont passés dans l'autre monde, celui de l'Invisible, et sont vus par eux. Ils craignent l'eau. Leur chef est le Roi-Sorcier d'Angmar.

Ils montent des chevaux, exclusivement noirs, demandés, puis volés au Rohan, dont la vue compense la cécité des cavaliers. La défaite du Gué de Bruinen où les chevaux sont emportés par les flots révèle à Sauron la fragilité de ce système. Il nantit les Nazgûl de montures ailées. Ils sont commandés par le Roi-Sorcier.

> « La grande ombre descendit comme un nuage tombant. Et voilà que c'était une créature ailée ! Si c'était un oiseau, il était plus grand que tous les autres, et il était dénudé : il ne portait ni penne ni plume, et ses vastes ailes ressemblaient à des palmures de peau entre des doigts cornus ; et il puait. Peut-être était-ce une créature d'un autre monde, dont l'espèce, demeurée dans des montagnes oubliées et froides sous la Lune, avait survécu

---

1. Faramir fait une description effrayante de cette transformation à Frodon, t. 2, IV, p. 403. Le duel contre le Roi-Sorcier au t. 3, V, pp. 151 à 155, est aussi un morceau de bravoure.

à son temps et engendré dans quelque aire hideuse cette dernière progéniture intempestive et propre au mal. Et le Seigneur Ténébreux l'avait prise et l'avait nourrie de viandes affreuses jusqu'à ce qu'elle ait pris une envergure plus grande que celle de toute autre créature volante ; et il l'avait donnée à son serviteur en guise de coursier. [...] Sur son dos se tenait une forme enveloppée d'un manteau noir, énorme et menaçante. Elle portait une couronne d'acier, mais entre le bord de celle-ci et le vêtement ne se voyait rien d'autre qu'une lueur sinistre d'yeux : le Seigneur des Nazgûl. [...] Il maniait une grande masse d'armes noire » (t. 3, V, pp. 151-152).

Pouvoirs

Leur long cri plaintif qui s'achève en un sifflement strident suffit à glacer les cœurs les plus intrépides. Une ombre maléfique semble voiler le soleil et la terre quand ils passent. Une aura de terreur les accompagne, qui pénètre l'esprit des créatures alentour. En même temps ils attirent irrésistiblement à eux leurs victimes, les poussant à sortir de leurs cachettes. Elles ne peuvent résister que par une tension de la volonté. Ils sont les principaux agents du pouvoir de Sauron, son arme secrète.

Dès le début du récit, ils furètent partout, pour s'emparer de l'Anneau et de ses porteurs. Quelques-uns passent à l'attaque avant Fondcombe et blessent à mort Frodon. Ils rattrapent les Compagnons au gué du Bruinen mais l'Elfe Glorfindel et la crue déchaînée par Elrond permettent à Frodon de leur échapper. Leurs chevaux sont anéantis, ils ne reparaîtront pas avant quelque temps. Ils affrontent encore les combattants : Merry et Eowyn vengent le Roi Théoden en tuant leur chef, le Roi-Sorcier, mais Frodon et Sam passent inaperçus en Mordor.

Sources

On peut penser aux représentations traditionnelles de la Mort dans les tableaux du Moyen Âge, un squelette drapé d'un vaste manteau à capuchon et monté sur un cheval maigre.

Les Orques

Les Orques forment le gros des armées de Sauron : ce sont de redoutables combattants. Comme toutes les créatures maléfiques, on les voit en général de loin lorsqu'ils attaquent en bandes. Les personnages les voient de plus près seulement à partir du livre III, quand ils en sont prisonniers. Leur portrait peut alors se préciser. Leur aspect comme leurs mœurs inspirent la répulsion la plus viscérale.

Nom

« Orque » est la traduction dans la langue de Rohan du terme elfique orch (pluriel : yrch) ; leur nom est ourouk en langage noir, gorgûn pour les Woses, gobelin pour les Hobbits.

Les « Grands Orques » sont nommés Ourouks-Hai (ou simplement Ourouks) ou Semi-Orques.

Origine

Il s'agit sans doute d'Elfes enlevés peu après leur éveil au 1er Âge par Morgoth, emmenés à Utumno, torturés physiquement et mentalement de façon à être pervertis ; les Ourouks, race d'Orques supérieurs, probablement inventés par Sauron, n'apparaissent qu'au 3e Âge en Mordor. Les Hommes les voient pour la première fois agir lors de la prise d'Osgiliath en 2475.

Portrait

Plutôt petits et courtauds, les Orques communs mesurent de 1,40 m à 1,65 m, les Ourouks dépassant 1,90 m ou 2 m. Leur physique [1] est peu avenant : ossature lourde, forte carrure, bras longs touchant presque le sol et jambes

---

1. Portrait assez détaillé t. 2, III, pp. 59 et 65.

arquées, peau épaisse et basanée. Solides, ils ne peuvent mourir ni de vieillesse ni de maladie.

Les Orques communs ont un visage bestial et des crocs, les Ourouks-Hai présentent des traits plus humanisés, mais tous souffrent d'un strabisme prononcé.

Vêtus d'habits grossiers, voire de haillons brunâtres, ils portent de lourdes chaussures et sont armés de sabres courbes (leur arme favorite), de courtes épées, de javelots, de haches, ou de longs couteaux. Ils utilisent aussi volontiers le fouet pour tourmenter leurs victimes.

Le Soleil les affaiblit, si bien qu'ils ne sortent que la nuit ; Sauron a remédié à ce défaut en fabriquant les Ourouks. Ceux-ci, aussi grands que des hommes, se tiennent droits et semblent posséder des capacités intellectuelles plus développées, ce qui leur confère souvent des postes de commandement. Ils méprisent les Orques ordinaires qu'ils qualifient de « larves blanches ». Il existe des différences entre les tribus : certains petits Orques, pourvus de larges narines, reniflent les pistes alors que les plus grands sont les combattants de première ligne.

Histoire

Au 1er Âge, ils appartiennent aux armées de Morgoth dans les guerres du Beleriand. Après la défaite de leur maître, ils se cachent dans la région des Monts de Brume. Dès le 2e Âge, ils se mettent au service de Sauron. Au 3e Âge, Saroumane en recrute certains tandis que d'autres forment des bandes de pillards indépendants. Les Orques mènent de nombreux assauts contre le Gondor, occupent Khazad-Dûm quand la cité est abandonnée par les Nains, empêchent les voyageurs de franchir les cols des Monts de Brume. Ils attaquent la Comté en 2747, envahissent le Rohan en 2800, harcèlent même la Lórien et les Elfes de la Forêt Noire.

Mode de vie

Le roman ne les montre guère au quotidien : pas de maisons (sans doute des lieux sombres et souterrains leur servent de refuge en dehors des campagnes militaires), pas de familles, pas trace d'une organisation sociale ou politique. Ils vivent en petits clans qui ignorent toute solidarité et ne connaissent que la loi de la horde : vie en groupe et domination du plus brutal. Ils ne manqueraient pas d'habileté artisanale pour creuser des tunnels, forger des outils et des armes, mais leurs œuvres restent grossières parce qu'ils détestent tout ce qui est beau. Ils se repaissent de nourritures innommables : Sam frémit en découvrant en Ithilien les reliefs d'un festin et les deux amis préfèrent avoir faim que goûter aux repas des Orques. Ils mangent de la chair crue, de cheval, d'homme, voire de leurs propres congénères. Ils font boire aux prisonniers un genre d'eau-de-vie qui redonne de l'énergie de façon malsaine. Leurs médications, comme l'onguent pour les blessures, sont rudes mais efficaces.

Ils ne respectent que la force. Comme ils sont incapables de réflexion et d'initiative, ils apprécient d'être soumis à une volonté supérieure qui les contrôle. La cupidité et la jalousie ravivent entre eux des querelles toujours latentes. Dans les deux occasions [1] où les héros les approchent, les Orques se battent sauvagement pour s'approprier le butin. Ouglouk et Grishnákh, puis Gorbag et Shagrat échangent des injures et des coups. La deuxième dispute se termine par un massacre général. Cruels et

1. Quand Merry et Pippin sont leurs captifs, des bords de l'Anduin jusqu'à Fangorn, et quand Frodon est leur prisonnier dans Cirith Ungol. Premier épisode au t. 2, IV, pp. 461-471, deuxième au t. 3, VI, pp. 234 puis 241 à 250.

sanguinaires, ils aiment détruire et tuent pour le plaisir. Leurs relations avec les autres races sont toujours violentes. Pillages, raids, combats, les Orques pratiquent toutes les formes d'agression.

Langage

Chaque tribu a son patois propre et comprend difficilement les autres ; ce langage rend un son rauque, proche du grognement : *Ouglouk ou bagronk sha poushdoug Saroumane – glob boubhosh skaï* (t. 2, III, p. 57). Une forme de ouestrain permet la communication entre tribus.

Représentants

Ce sont des êtres non individualisés qui ne se distinguent les uns des autres que par une plus grande brutalité ; pas de psychologie, donc, mais un rôle comme instrument de l'action.

– Ouglouk, Ourouk-Hai, chef de la bande de l'Isengard, dispute à Grishnákh la possession des prisonniers Merry et Pippin. Il est tué par Eomer.

– Grishnákh, Orque de Barad-Dûr, capitaine de l'escouade de Mordor qui tue Boromir et enlève Merry et Pippin. Il kidnappe ensuite les Hobbits pour son compte en espérant accaparer discrètement leur trésor. Il leur permet indirectement de s'évader puisque isolé, il est repéré et tué par les Cavaliers de Rohan.

– Shagrat, Ourouk, capitaine de la Tour de Cirith Ungol, capture Frodon. Sérieusement blessé dans la bagarre pour s'emparer de la cotte de mithril, il arrive à la porter à Sauron à Barad-Dûr.

– Gorbag, Ourouk de Minas Morgul, est tué dans la bagarre contre Shagrat.

Les Trolls

Les Trolls apparaissent peu dans le roman, sans doute parce que leur stupidité limite leur efficacité. Ils proviennent probablement d'une version pervertie des Ents, bricolée par Morgoth au 1er Âge. Très grands, forts et laids, la peau épaisse et le sang noir, ils se transforment en pierre à la lumière du soleil (l'équipe des Hobbits en découvre trois en cet état au livre I). Ils gardent les trésors, tuent pour le plaisir et mangent de la chair crue.

Les Olog-Hai, version améliorée et plus dangereuse du 3e Âge, parlent le langage Noir, et supportent la lumière tant que Sauron les contrôle ; ils sont annihilés dès qu'il disparaît.

> « S'avança à larges enjambées, avec des rugissements de bêtes, une grande compagnie de Trolls des montagnes de Gorgoroth. Plus grands et plus larges que les Hommes, ils n'étaient vêtus que d'un réseau très ajusté d'écailles cornées, ou peut-être était-ce leur hideux cuir ; mais ils portaient d'énormes boucliers ronds et noirs, et ils brandissaient de lourds marteaux dans leurs mains noueuses » (V, p. 227).

QUELQUES ANIMAUX

Les loups sont des alliés de Sauron, ils poursuivent la Compagnie de l'Anneau devant la Moria. Les Ouargues, des loups-garous, sont des esprits mauvais enfermés dans des corps de loups ; ils peuvent atteindre des tailles gigantesques. À l'occasion, ils servent de montures aux Orques.

Les corbeaux, oiseaux de mauvais augure, jouent le rôle d'espions à la solde de l'Ennemi.

Arachme

Cet être mythique et monstrueux vit depuis le 1er Âge. Elle reste tapie dans des galeries obscures et peu de personnes peuvent se vanter de l'avoir rencontrée car elle absorbe tout ce qu'elle rencontre. Elle surprend ses victimes et ne leur laisse aucune chance. Elle n'a épargné naguère Gollum qu'en échange d'une promesse de nourriture car les voyageurs évitent son repaire de Cirith Ungol. Elle pique Frodon qu'elle plonge dans un coma profond. Sam parvient à l'aveugler grâce à la lumière des Elfes et à la blesser à mort.

SAURON, LE GRAND ABSENT

Paradoxalement, il est impossible de présenter *le* personnage essentiel, l'expression du Mal absolu. En effet Sauron, l'Ennemi par excellence, est d'autant plus redoutable qu'il est à la fois omniprésent et toujours absent. Absent en ce sens qu'il n'apparaît jamais physiquement face à face puisque sa défaite de jadis l'a privé de l'incarnation. Les héros ressentent pourtant fortement son aura maléfique quand ils rencontrent les Nazgûl ou Bouche-de-Sauron, celles parmi ses créatures qui sont comme les émanations de sa volonté. À plusieurs reprises, Frodon manque d'être terrassé par la malveillance de l'Œil qui le cherche, qui envahit la surface des Palantri. L'image de cet œil diabolique est une trouvaille terrifiante du romancier ! La métaphore qui montre l'essence de Sauron peint aussi son action : une Ombre immense qui couvre les terres. À l'extrême fin de l'Aventure, une Main noire s'étend dans le ciel avant de disparaître.

Sauron, lieutenant de Morgoth, a pris sa place comme grand Satan occulte ; on ne sait rien de ses pensées sinon le projet qui le guide : contrôler le monde entier pour le faire tomber dans le camp du Mal. Il parvient à pervertir les êtres qui convoitent le pouvoir. Saroumane, le plus orgueilleux, devient comme une copie de Sauron.

LES PERSONNAGES DU
SEIGNEUR DES ANNEAUX

LA COMMUNAUTÉ DE L'ANNEAU, SES ALLIÉS ET SES ENNEMIS

Les alliés [1]	Les 9 Compagnons	Les ennemis
Bilbon Sacquet	Frodon Sacquet	Sauron
	Samsagace Gamegie, « Sam »	
	Meriadoc Brandebouc,	
Les Rohirrim, dont :	« Merry »	Gríma, dit
Théoden, Eomer,	Peregrin Touque, « Pippin »	« Langue-de-Serpent »
Eowyn		Théoden ?
Les Rôdeurs		Les Nazgûl
(Dúnedain)	Aragorn, alias « Grands-Pas »	Le Roi-Sorcier
		Bouche-de-Sauron
Les Hommes de		Denethor
Gondor, dont :	Boromir	
Faramir, Denethor (?)		
Les Nains		
	Gimli	
Les Elfes, dont :		Les Orques et les
Galadriel, Elrond,	Legolas	Ourouks-Hai
Arwen		
	Gandalf	Saroumane, alias
		Sharcoux
		Le Balrog
Gollum (Sméagol)		Gollum
Les chevaux de		Les Loups
Rohan, dont Gripoil		

1. Certains noms apparaissent aussi bien dans les « alliés » que dans les « ennemis » parce qu'ils changent de camp au cours du récit.

• Les guides : Gandalf et Aragorn

Depuis longtemps, on le comprend à mesure dans le roman, des consciences vigilantes percevaient la « montée de l'Ombre » en Terre du Milieu. Depuis la grande bataille du 2e Âge (3441) où Sauron avait été dépossédé de son Anneau et de son corps, l'Ennemi semblait s'être à jamais évanoui. Mais des incursions d'Orques de plus en plus audacieuses, d'étranges rumeurs autour de Dol Guldur inquiètent le Conseil Blanc. Gandalf et Aragorn figurent au premier rang des Veilleurs envoyés pour s'enquérir.

Le roi et le magicien vont organiser l'expédition de l'Anneau, mais, de façon inattendue, ces héros prestigieux, malgré leurs pouvoirs magiques et leur force certaine, sont éclipsés par deux humbles Hobbits.

Le Mage

Personnage traditionnel des contes, le magicien possède des pouvoirs surnaturels qui l'aident à faire triompher sa cause. Gandalf, Mage envoyé par les dieux en Terre du Milieu, n'a toutefois pas le droit de se substituer aux habitants d'Endor et ne peut que leur apporter un soutien. D'abord méconnu, accueilli avec peu d'aménité, voire avec méfiance, Gandalf se révèle progressivement dans sa pleine majesté.

Le pèlerin gris

Vieil homme aux cheveux gris et à la barbe grise, il erre sur les routes, tout enveloppé d'un grand manteau gris. Malgré son grand âge, il garde toute la résistance et la force d'un jeune athlète. Il n'a pas bonne réputation ! Les Hobbits, qui lui connaissent quelques talents de sorcellerie, le jugent assez bizarre et apprécient surtout ses feux d'artifice ! Seuls, Bilbon et son neveu le fréquentent assez pour éprouver à son égard le respect et l'affection qu'il mérite.

La vénération avec laquelle les Elfes reçoivent Mithrandir[1] à Fondcombe éclaire sur son véritable rang : il tient, après Saroumane le Blanc, le deuxième rang dans l'Ordre des Mages. Ses récits prouvent qu'il connaît tout le passé de la Terre du Milieu, qu'il est plus particulièrement expert en tout ce qui concerne Sauron et les Anneaux. Ses conseils sont donc indispensables. Ce lutteur acharné s'efforce, depuis deux mille ans qu'il est arrivé en Endor, de comprendre les projets de Sauron pour les contrer. Il est l'explorateur téméraire qui découvre les secrets de Dol Guldur en 2850, comme il est le premier à constater le revirement de Saroumane qui le retient prisonnier à Orthanc au début du roman.

Indirectement il a provoqué le retour de l'Anneau en engageant (en 2941) Bilbon à se joindre aux Nains. Le Prologue montre sa familiarité avec le Hobbit, issue de cet épisode (raconté dans le roman précédent, *Bilbo le Hobbit*) ; le magicien l'y convainc de céder l'Anneau à Frodon (en 3001). Il revient en 3018 pour inciter Frodon à partir et lui expliquer sa mission. Si des événements indépendants de sa volonté le retiennent au loin, au moment du départ de la Quête, il

1. « Pèlerin gris » dans le langage des Elfes.

rejoint le groupe à Fondcombe où se forme la Communauté de l'Anneau. Il peut seul les guider à travers la Moria grâce à la lumière de son bâton de marche.

Dans les livres III et V, les Compagnons comprennent qu'il a déjà tenté d'alerter le Rohan et le Gondor : il n'a pu rallier Théoden, abruti par Gríma, et n'y a gagné que le surnom d'oiseau de mauvais augure, « Corbeau de tempête » ; il n'a pas davantage conquis l'estime de Denethor, qui le traite de « vieux fou gris » mais il a instruit son fils cadet, Faramir.

Le Magicien Blanc

Gandalf sacrifie sa vie pour sauver les Compagnons à la sortie de la Moria, quand ils sont attaqués par le Balrog. Sa disparition les désespère et les plonge dans le désarroi.

En fait une lutte titanesque l'a opposé au monstre dans les profondeurs de la Terre, puis sur les sommets du monde. Ce récit constitue un moment fort du livre III. Son courage lui a valu de renaître, transfiguré et rayonnant. Sa vraie nature lumineuse peut éclater au grand jour puisqu'il a vaincu la Mort. Il devient le premier de son ordre, Gandalf le Blanc. Ses interventions dans les combats, au galop de son merveilleux cheval Gripoil, prennent une allure fulgurante. Quand il concentre son énergie, le nimbe blanc qui l'entoure éblouit. Artisan de la victoire du Bien, il quitte Endor pour Aman à la fin du roman. Sa mission est accomplie. Alors seulement on comprend qu'il détenait un des Anneaux des Elfes, Narya, la pierre rouge du Feu.

Sa force est de nature spirituelle. Il semble savoir lire dans les pensées et bénéficier d'une grande lucidité sur le passé et l'avenir sans toutefois connaître le destin. En plaisantant, les Hobbits lui reprochent de dissimuler ses secrets : cette discrétion favorise l'efficacité de son espionnage mais plus fondamentalement elle fait partie de son caractère. Il se défie constamment de ses forces et de sa sagesse ; c'est grâce à cette humilité qu'il triomphe de la tentation terrible de l'Anneau. Ferme et constant, il secourt dans la détresse ceux qu'il a choisis : il sauve par deux fois Faramir, il n'oublie pas Frodon et Sam sur les pentes du volcan à la fin de la Quête. Il gronde les indisciplinés comme Pippin avec l'autorité sévère d'un père, il admire sincèrement la fidélité et la résistance des Hobbits. Sa parole, loin de manipuler les esprits, éveille en chacun ce qu'il a de meilleur : il rend Théoden à lui-même, il enseigne à Faramir la vision claire et la mémoire du Monde.

Le Roi

Aragorn[1], lui aussi, a deux visages. Vagabond sans feu ni lieu, il cache sa véritable identité et fait reconnaître en temps utile sa légitimité. Son autorité grandit peu à peu, jusqu'à la fin du roman, où ses longues épreuves s'achèvent et où il règne sur tous les hommes.

Grands-Pas, le Rôdeur

Les gens, Hommes et Hobbits, se méfient de ce grand gaillard aux bottes usées, au manteau défraîchi, qui cache son visage basané sous un capuchon. Il va, il vient, il disparaît pendant des mois et nul ne sait ce qu'il fait. Telle est aussi l'impression première des jeunes Hobbits quand ils le rencontrent à l'auberge de Bree. Frodon, encore sur la défensive, déclare pourtant : « Je crois que vous n'êtes pas vraiment tel que vous voulez le paraître » (t. 1, I, p. 226). Et peu à peu Grands-Pas se présente. Il ôte son capuchon et laisse voir « une tête ébouriffée aux cheveux bruns mouchetés de gris et, dans un visage pâle et sévère, une paire d'yeux gris pénétrants » (t. 1, I, p. 214). Il révèle ensuite sa nature guerrière. « Il se leva et parut soudain grandir. Dans ses yeux brillait une

1. Aragorn signifie « arbre royal » ; son nom de souverain, Elessar, veut dire « pierre elfique ».

lumière, pénétrante et imposante. Rejetant son manteau, il porta la main à la garde de son épée. » Enfin il se nomme et s'engage : « Je suis Aragorn, fils d'Arathorn ; et si, par la vie ou par la mort, je puis vous sauver, je le ferai » (t. 1, I, p. 232).

Toutes les apparitions d'Aragorn dans le roman sont à l'image de cette découverte initiale : c'est un homme secret, énigmatique et surprenant. À chaque étape, il se transfigure. Il a déjà beaucoup vécu et beaucoup accompli d'exploits auxquels il ne fait que de brèves allusions : il a encouru maints dangers pour rechercher Gollum, il a affronté les Nazgûl et en éprouve encore de l'angoisse, il a parcouru des lieues et des lieues, allant jusqu'en Harad et en Rhûn. On peut constater d'ailleurs qu'il dort peu, marche vite et longtemps sans connaître la fatigue. Économe de sa parole, il n'hésite pas à s'affirmer dans d'énergiques discours quand son autorité est mise en doute. Ainsi pour faire la leçon au sceptique Boromir, il proclame sa mission : chef des Dúnedain du Nord, il chasse avec les siens les serviteurs de l'Ennemi et préserve la paix et la liberté des gens simples. Pour que ceux-ci gardent le cœur tranquille, ils doivent ignorer ce qui les menace et qui les en préserve. Aragorn accepte donc d'être méconnu et regardé de travers. On comprendra plus tard que cette œuvre de salut, tel un sacerdoce, lui impose de renoncer (pour le moment) au bonheur de sa vie. Seul, Frodon le pressent dans la demeure d'Elrond : « À sa surprise, Frodon vit qu'Aragorn se tenait à côté d'Arwen ; son manteau noir était rejeté en arrière, il semblait vêtu de mailles elfiques et une étoile brillait sur sa poitrine » (t. 1, II, p. 317).

Ainsi se profile le destin d'Aragorn. Il revendique sa lignée : descendant d'Isildur, il hérite de l'épée brisée d'Elendil, Narsil, et il annonce solennellement l'Histoire : « Mais maintenant [...] une nouvelle heure vient. Le Fléau d'Isildur a été trouvé. La bataille est proche. L'Épée sera reforgée » (t. 1, II, p. 332). À plusieurs reprises, retentit le couplet prophétique qui dévoile son présent et son avenir :

> Tout ce qui est or ne brille pas,
> Tous ceux qui errent ne sont pas perdus ; [...]
> Des cendres un feu s'éveillera,
> Des ombres une lumière jaillira.
> Renouvelée sera l'épée qui fut brisée,
> Le sans-couronne sera de nouveau roi.

Elessar, le souverain suprême

L'autorité d'Aragorn continue de s'affirmer et chaque nouvel épisode confirme sa légitimité. Il incarne le principe même de la monarchie héréditaire si bien que d'une certaine manière, il se statufie :

> « Il semblait avoir grandi en stature [...] ; et ils avaient, dans son visage vivant, une brève vision de la puissance et de la majesté des rois de pierre » (t. 2, III, p. 40).

Les personnages le respectent, l'admirent, mais ils ne pénètrent pas son intimité ; ils restent à distance. Aragorn expose ses plans, non ses sentiments. Sa vie privée nous échappe sauf par quelques jeux de regards ou de physionomie. Son action reste assez énigmatique puisque la majeure partie de ses exploits semble avoir précédé l'époque du récit ; Tolkien a d'ailleurs partagé cette frustration du lecteur puisqu'il ajoute un appendice à la fin du tome III afin de compléter la biographie d'Aragorn et d'Arwen.

Comme le roi Arthur de la Table Ronde, il est l'héritier de la lignée ininterrompue des rois et l'épée de son ancêtre lui est remise. Un signe marque son élection divine : « Il parut aux yeux de Legolas qu'une flamme blanche scintillait au front d'Aragorn comme une brillante couronne » (t. 2, III, p. 40). Pourtant il ne s'est pas contenté de naître, il est aussi le fils de ses œuvres : il mérite son apothéose par sa longue patience, ses multiples travaux, son dévouement à une tâche philanthropique, sauver le monde du Mal. Responsable du salut de tous, il joue pleinement le rôle fédérateur de monarque. Il sait se battre, mais, ce qui dans le roman est plus important, il sait commander. Il exige, impose, obtient ; c'est l'homme des grandes décisions, sans ostentation comme sans hésitation. Déterminé, il s'engage sans trembler dans le « chemin des morts ». Parce qu'il connaît le passé, les anciennes alliances et les anciens manquements, il sait pouvoir compter sur l'Armée des Morts comme sur les princes de Dol Amroth. Tous, Elfes et Rôdeurs, Rohan et Gondor, se regroupent peu à peu sous la bannière étoilée qu'il peut fièrement déployer sur le champ de bataille. Enfin, en lançant l'armée d'Occident contre le Mordor, il a l'audace de tenter l'impossible pour donner une chance de plus à Frodon.

Il ne confond pas autorité et despotisme, fierté et orgueil, réserve et insensibilité. Il connaît souvent le doute et l'angoisse, il a vécu bien des souffrances, ce sont ces épreuves qui le qualifient. Il n'entreprend que ce qu'il estime juste : il regarde dans le Palantir non pour dominer les autres mais pour les sauver, non pour tout savoir mais pour prendre sur lui le danger. Il admire Frodon : « C'est à lui qu'appartient la véritable Quête. La nôtre n'est que peu de chose parmi les grands faits de ce temps. » Jusqu'à l'heure du sacre, il garde cette humilité et reconnaît ses dettes, puisqu'il reçoit la couronne de Frodon et de Gandalf. Il noue spontanément avec Eomer un lien de fraternité : ils se reconnaissent comme pairs à la première rencontre près de Fangorn, se retrouvent avec bonheur sur le champ de bataille. Il éprouve pour Eowyn une profonde compassion car il lit dans son cœur. Le roman est beaucoup plus discret sur ses amours avec Arwen, sa Dame.

Tolkien insiste sur les symboles qui en font une figure sacrée. L'étendard, don de sa Dame, par sa couleur verte et ses étoiles, le lie avec Aman, la terre des dieux. L'Arbre Blanc qu'il retrouve miraculeusement vient aussi de ce Paradis perdu. Son épée Anduril, « la Flamme de l'Ouest », porte les emblèmes de ses ancêtres : étoiles, lune et soleil. L'émeraude qu'il arbore accroît son éclat. Ses mains redonnent la vie : il guérit Faramir, Merry et Eowyn, il replante l'Arbre Blanc à Minas Tirith.

Gandalf et lui, indissociables comme Arthur et Merlin, représentent l'alliance du pouvoir spirituel et du pouvoir temporel.

• Les Porteurs de l'Anneau : Frodon et Sam

Bilbon, héros de l'épisode précédent de l'histoire de l'Anneau, n'apparaît que brièvement dans ce roman. Mais sans lui, rien n'aurait été possible. C'est lui qui a ramené au jour l'Anneau. C'est lui qui a la vertu de le donner à son neveu et qui résiste (de justesse) à la tentation de le reprendre. C'est lui qui l'équipe pour son départ en mission de la précieuse cotte de mithril et de l'épée Dard. Plus fondamentalement encore, sa générosité, sa pureté de cœur et sa compassion pour Gollum inspirent Frodon. À l'issue de la Quête, le souci du héros se porte vers lui et il fait le détour par Fondcombe pour le voir. Essentiel enfin, son rôle d'archiviste et de chroniqueur qui montre la voie aux livres des Hobbits et à Tolkien...

Frodon le Sauveur

Modeste Hobbit, il prend peu à peu l'envergure du Héros qui sauve le monde. À la différence d'Aragorn ou de Gandalf, son nom ne change pas car il devient ce qu'il était, il manifeste la qualité intrinsèque que dès le début Aragorn, Gandalf ou Galadriel perçoivent en lui.

Frodon Sacquet, neveu préféré de Bilbon, vient habiter avec lui à la mort tragique de ses parents, et écoute le récit de ses voyages qui ouvre sa curiosité vers le monde extérieur. Il apprend quelques rudiments de la langue et des Elfes, certains de leurs chants, et rencontre Gandalf. Né le même jour que Bilbon, le 22 septembre, il a trente-trois ans au début du roman. C'est le moment où il hérite du domaine de son oncle quand celui-ci part pour Fondcombe. Il occupe bourgeoisement son trou confortable de Cul-de-Sac, il organise des fêtes avec ses nombreux amis, bref mène joyeuse vie. Rien d'exceptionnel ne semble le distinguer des autres : « *Un gros petit bonhomme aux joues rouges, [...] plus grand que la moyenne et mieux que la plupart, et il a une fente dans le menton : un type déluré, à l'œil brillant* [1] » (t. 1, I, p. 227). À cinquante ans, l'âge même où Bilbon avait connu sa grande aventure, il commence à se lasser des chemins battus, à se risquer plus loin, à regretter de n'avoir pas accompagné Bilbon chez les Elfes. Il parle avec les voyageurs étrangers et s'interroge sur les terres inconnues. « Il regardait des cartes et se demandait ce qu'il y avait au-delà de leur bordure : celles qui étaient faites dans la Comté montraient surtout des espaces blancs à l'extérieur des frontières » (t. 1, I, p. 67). Des rêves de montagnes le visitent.

Il accepte avec gravité la mission que lui confie Gandalf, mais sans enthousiasme, sans désir de gloire ; bien au contraire, il dit adieu à la Comté avec une grande tristesse et pendant tout son voyage, il souffre souvent d'accès de nostalgie. Cet attachement à ses racines, aux siens, lui donne une solidité foncière. Mais peu à peu il doit se détacher de tout et ne plus puiser sa force qu'en lui-même. Il commet d'abord quelques imprudences par curiosité, par vanité, par peur : il passe l'Anneau à son doigt à l'auberge de Bree ou au Mont Venteux. Puis il apprend à mieux connaître et les dangers et ses faiblesses et parvient à résister à la tentation. Il assume sa mission. À Fondcombe il vainc sa peur et proclame sa décision :

> « Un désir irrésistible de se reposer et de demeurer en paix au côté de Bilbon emplissait son cœur. Enfin, par

1. Description faite par Gandalf à l'aubergiste de Bree.

un grand effort, il parla, étonné d'entendre ses propres mots comme si quelque autre volonté se servait de sa petite voix. "J'emporterai l'Anneau, dit-il, encore que je ne connaisse pas le moyen" » (t. 1, II, p. 360-361).

Quand il constate plus tard que Boromir a cédé à l'attrait de l'Anneau, il est désespéré et fuit. C'est alors que se situe un autre grand moment de la geste de Frodon : assis sur le « siège de la vue », sur l'Amon Hen, il voit la terre des hommes et ses guerres, le Mordor et ses terreurs. Il subit les pressions de la Voix, de l'Œil, de l'Anneau, puis agit.

> « Les deux pouvoirs luttèrent en lui. Durant un moment, en parfait équilibre entre leurs pointes perçantes, il se crispa, torturé. Mais il reprit soudain conscience de lui-même. Frodon, ni la Voix ni l'Œil : libre de choisir avec un seul instant pour le faire. Il retira l'Anneau de son doigt. Il était agenouillé dans le clair soleil devant le haut siège » (t. 1, II, p. 532).

De plus en plus conscient de ses responsabilités, il tâche d'en porter seul le fardeau et décide de continuer sans compagnon. Mais Sam s'impose, heureusement. La fidélité et l'affection de son ami permettront à Frodon d'aller jusqu'au bout.

Plusieurs fois il traverse la mort et revient à la vie : le poignard des Nazgûl le blesse, il manque d'être pris au gué du Bruinen, il est meurtri dans la Moria, empoisonné par l'Araignée à Cirith Ungol... Chaque fois, un miracle le sauve. Mais le vrai miracle, c'est la puissance de sa volonté ; Gandalf, Elrond, Galadriel, Faramir, qui savent lire dans les êtres, s'émerveillent de la pureté de son âme. C'est la compassion qu'il manifeste au monstrueux Gollum qui non seulement lui vaut son aide mais permet le succès final. Il lutte sans cesse contre ses doutes et sa peur, luttes qui le grandissent et le minent. La dernière étape, à travers le Mordor, est un véritable calvaire.

Au fur et à mesure, il acquiert une autorité spirituelle : face à Gollum, il apparaît à Sam stupéfait comme « une grande ombre sévère, un puissant seigneur cachant son éclat dans un nuage gris ». Cette transfiguration a son revers : il mincit, s'affaiblit, devient presque transparent, bref il se désincarne. Frodon est allé trop loin pour revenir à la vie ordinaire, il a vu l'autre monde et peut voir l'invisible : le visage des morts dans le marais, la face du Roi-Sorcier. Ce savoir terrifiant épuise ses forces physiques. Il tombe malade au retour dans la Comté et doit quitter à jamais cette terre pour Aman.

Samsagace Gamegie, dit « Sam »

Il semble au départ invraisemblable que Sam soit un héros, pourtant ce paradoxe se réalise. C'est parce qu'il est humble et sans prétention qu'il est grand, il incarne le sublime de l'amitié, du dévouement à l'autre sans phrase et sans hésitation. Lui non plus ne change pas, mais va au bout de lui-même.

Un valet comique

Fils de Ham le jardinier, brave homme bavard et joyeux buveur, Sam le remplace à Cul-de-Sac quand il prend sa retraite. Bilbon, en lui apprenant à lire, lui conte longuement les histoires des Elfes qui fascinent le garçon. Sam, serviteur actif et compétent, tout dévoué à la famille Sacquet, diffère déjà du modèle courant de Hobbit par sa curiosité pour un ailleurs.

Il écoute aux fenêtres, se mêle aux conversations secrètes, bref est le type même du domestique impertinent. Son côté burlesque est accentué par son franc parler, ses expressions imagées, et ses préoccupations matérialistes : l'essentiel dans une expédition est de bien prévoir son sac à dos. Pourtant, dès le début, Gandalf et Elrond, loin de punir cette indiscipline, le traitent avec une bienveillance amusée parce qu'ils savent qu'il agit ainsi par affection pour Frodon, qu'il se refuse à abandonner. Sans arrêt il veille sur le bien-être de son maître. Ses vertus bien sympathiques paraissent pourtant mineures au lecteur qui se demande ce qui lui vaut l'attention privilégiée de Galadriel : elle le laisse regarder dans le miroir de clairvoyance, elle lui offre une boîte de graines. On comprend bientôt qu'elle sait déjà ce qu'il va accomplir.

L'ami sublime

Il connaît bien son maître même si, au quotidien, il ne se répand pas en analyses psychologiques. Quand celui-ci disparaît à Parth Galen, Sam est capable de résumer avec assurance et justesse les états d'âme de Frodon. Son bon sens lui permet vite de retrouver sa piste ; il se jette à l'eau sans savoir nager pour le rattraper. Il exprime vivement la douleur que lui cause ce manque de confiance : « J'aurais pas pu le supporter, ç'aurait été ma mort. » Il va avec Frodon, c'est pour lui une évidence, quelles que soient les conséquences. Dans les pires passages : marais, falaises, ronciers, il ne quitte jamais Frodon. Il se prive de nourriture, d'eau, de sommeil pour le protéger, en lui laissant constamment ignorer les sacrifices qu'il fait pour lui. Il surveille Gollum qu'il sent dangereux.

Dans ces épreuves, il ne perd ni son naturel ni sa bonne humeur : il prépare un ragoût de lapin aux herbes pour remonter le moral de Frodon en Ithilien, et son grand regret, quand il faut à tout prix s'alléger pour marcher, c'est d'abandonner ses casseroles ! Il parle à Faramir avec une sincérité décapante qui pourrait être dangereuse, si Sam ne possédait une remarquable intuition des êtres. Il sent d'emblée à qui il peut ou non faire confiance.

Les souffrances et le don de soi révèlent sa valeur héroïque. Le récit devient la geste de Sam[1] avec le combat contre Arachne, l'araignée monstrueuse, pour sauver Frodon. Il connaît à cet instant un désespoir mortel parce

1. T. 3, VI, chapitre I.

qu'il croit son ami mort, et il ne renaît qu'en comprenant qu'il vit encore. Sans interrogations métaphysiques, et presque sans lutte intérieure, il assume la Quête. Il résiste presque sans effort à la tentation de l'Anneau :

> « En cette heure d'épreuve, ce fut l'amour de son maître qui contribua le plus à maintenir sa fermeté ; mais aussi, au plus profond de lui-même, vivait toujours intact son simple bon sens de Hobbit : il savait au fond de son cœur qu'il n'était pas de taille à porter pareil fardeau. »

Alors que, pour délivrer Frodon, il doit s'engager dans les dédales obscurs d'une forteresse grouillant d'Orques, il s'élance presque joyeusement, en se moquant de lui-même : « le grand guerrier elfe est là » (t. 3, VI, p. 240). Il sauve non seulement la vie mais l'âme de son maître : égaré par l'Anneau, Frodon le menace pour s'en ressaisir ; le remords qu'il éprouve aussitôt de son geste lui redonne la force nécessaire pour contrer la malveillance de l'Anneau. Enfin, Sam porte son maître dans ses bras jusqu'au sommet de l'Orodruin.

Le jardinier de la Comté

Après la victoire, les Hobbits retournent en Comté et Sam a la douleur de voir réalisée la prédiction du Miroir de Galadriel qui lui était adressée : son pays est ravagé. Avec ses compagnons, il chasse les envahisseurs. Ensuite il accomplit la véritable mission qui lui était destinée, son chef-d'œuvre ! Il replante la Comté avec les graines magiques ; au printemps, tout renaît, un mallorne resplendit sur le Champ de Fête.

Le quotidien reprend son cours : Sam mène à bien ses amours avec une petite bonne femme décidée, Rosie Chaumine, se marie et a beaucoup d'enfants ! Son seul chagrin sera de devoir dire adieu à Frodon qu'il accompagne aux Havres Gris. Le récit s'arrête là. La chronologie ajoutée en annexe laisse entendre qu'à la mort de sa femme, il va rejoindre Frodon en Aman.

• Les écuyers : Merry et Pippin

Meriadec Brandebouc, dit Merry, et Peregrin Touque, dit Pippin, sont deux amis d'enfance de Frodon. Ces gamins étourdis et turbulents changent au contact du vaste monde pour grandir moralement et même physiquement.

Au début de l'expédition, il ne s'agit pour eux que d'un jeu et ils se préoccupent plus de leur petit déjeuner que du sort de l'humanité. Ils ont entrepris le voyage par affection pour Frodon mais aimeraient bien qu'il renonce à son projet pour retrouver au plus vite le confort du logis. Ils ont tendance à agir sur l'impulsion du moment, poussés par la curiosité. C'est ainsi que Pippin jette un caillou dans un puits de la Moria pour tester la profondeur... et réveille les hordes d'ennemis. Plus tard il regarde imprudemment dans le Palantir d'Orthanc et manque d'être dominé par Sauron. L'expérience les mûrit.

Leur première mutation sera causée par la rencontre des Ents. Ils sont confrontés à la puissance d'une Nature primitive et apprennent l'histoire des origines du monde. C'est ce savoir, autant que la boisson magique des Ents, qui les transforme intimement. En échange, ils éveillent chez les Ents la conscience du présent, ce qui les incite à s'engager dans les luttes du monde. Leur corps (et leurs cheveux !) se mettent à pousser vigoureusement.

Les voilà assez forts pour entrer dans l'univers chevaleresque. Chacun d'eux s'engage dans une des armées des Hommes et apprend à se débrouiller sans son compagnon, dans une société étrangère où il faut se faire connaître et reconnaître. Ils rencontrent le suzerain de leur cœur, celui à qui ils font officiellement et secrètement allégeance : Merry choisit Théoden, Roi de Rohan ; Pippin, Denethor ou plutôt Faramir de Minas Tirith. La vénération qu'ils éprouvent pour les vertus de leurs modèles les pousse à les imiter : ils reçoivent tout un armement à leur taille, don qui apparaît comme un adoubement. Ils apprennent à respecter les règles de la Cour et de l'armée, ils comprennent les principes et les valeurs de ces sociétés d'ordre.

Merry brave les ordres toutefois en suivant l'armée, caché dans le manteau de Dernhelm-Eowyn. Il connaît son heure de gloire devant Minas Tirith lorsque, pour défendre Théoden, Eowyn et lui défient le Roi-Sorcier et le tuent. Pippin voit, lui, la face sombre de la souveraineté, le despotisme, et la ruine, la folie qu'il entraîne. Il finit par se révolter contre son suzerain officiel, Denethor, pour sauver la vie de son vrai seigneur, Faramir. Sa prouesse guerrière est le massacre d'un grand Troll à la bataille du Morannon. Au retour, ils mettent à profit leur savoir militaire et leur courage tout neuf pour organiser la révolte de la Comté et éliminer énergiquement les envahisseurs. Bien plus tard, ils s'établissent en Rohan et Gondor où ils deviennent dignitaires des royaumes.

Leur histoire rappelle les contes de fées où les enfants partent solitaires sur les routes, rencontrent des êtres étonnants et, à force d'exploits personnels, deviennent adultes.

• Un couple d'amis inattendu : Gimli et Legolas

La Compagnie de l'Anneau, en regroupant des représentants de tous les Peuples Libres, donne aux deux pôles opposés l'occasion de se connaître et de s'aimer : la race la plus terrestre et matérialiste, celle des Nains, s'allie à la race la plus aérienne et rêveuse, celle des Elfes, en une amitié exemplaire.

Gimli, fils de Glóin, vient à Fondcombe avec son père depuis le mont Erebor. Il résume toutes les vertus et tous les défauts de son peuple : résistant, obstiné, travailleur, il ignore la fatigue et taille en pièces les Orques de sa hache vengeresse. Ce combattant efficace arrive même à surpasser Legolas (d'une tête...). Irascible, il ne supporte guère les interdits (qu'on veuille lui bander les yeux pour entrer en Lórien l'exaspère) et il défie les contradicteurs... pour l'honneur de sa dame. Les forêts mettent mal à l'aise ce fils de défricheurs et il craint les chevaux. Il se sent au contraire parfaitement à l'aise sous terre : il s'extasie des merveilles creusées par son peuple dans la Moria et éprouve un vrai coup de foudre pour les cavernes d'Aglarond où il s'installe d'ailleurs à la fin du récit.

Son autre coup de foudre est bien plus inattendu. Il déclare soudain en Lórien son amour à Galadriel et se conduit dès lors en parfait amant courtois. Il demande, pour seul présent, une boucle de ses cheveux, et la garde précieusement. Il attend son message avec angoisse et espoir. Il manifeste en toutes occasions sa dévotion en prenant sa défense dès qu'un soupçon de critique s'esquisse. Aussi est-il le premier Nain à partir en Aman [1].

Legolas, « feuille verte », fils de Thranduil, vient lui aussi du Nord jusqu'à Fondcombe. Elfe Sylvain, il vivait dans une enclave préservée de la Forêt Noire. Il représente les Elfes dans la Compagnie. Lui aussi a toutes les qualités de sa race. Il marche sans fin et sans fatigue. Il dort les yeux ouverts en rêvant. Son pas est si léger qu'il ne déplace pas les herbes, sa vue est assez perçante pour apercevoir à des lieues de distance un cavalier. Ces dons sont utiles à l'expédition. Remarquable archer, il détruit sans pitié les Orques. Il joue, comme Gimli, un rôle déterminant dans la victoire de Fort-le-Cor. Son vêtement, vert et brun, manifeste sa fusion parfaite avec la Nature : il se sent parfaitement heureux dans les forêts, la Lórien, Fangorn qui le touche au plus profond de son âme, l'Ithilien où il s'établit après la fin de la Quête. Il monte à cru les chevaux qui l'acceptent immédiatement. En revanche les souterrains l'angoissent. En escortant Aragorn, il découvre la mer et dès lors la nostalgie du large le tourmente.

Chez Elrond, une discussion menace de s'envenimer

---

1. Bien après la fin du récit, quand Aragorn mourra.

car les Elfes et les Nains se sont souvent querellés, voire combattus par le passé. Caractères et goûts, tout semble en effet opposer le poète et le bâtisseur, le roc et l'arbre. Mais plus Gimli et Legolas se côtoient, plus ils apprécient leurs qualités de fond. Ils s'accordent une absolue confiance et ils font chacun pour l'autre des choses surprenantes : Legolas visite les cavernes d'Aglarond, et Gimli Fangorn. Ils finissent par s'en aller de conserve en Aman.

• Les Seigneurs Elfes

Les Elfes, mis à part quelques patrouilles et Legolas, Compagnon de l'Anneau, habitent en Terre du Milieu des enclaves hors du monde, refuges préservés du Mal. Ils ne se joignent aux autres peuples qu'à la fin, pour célébrer le mariage d'Arwen. Mais leur absence dans le quotidien de l'action n'est qu'apparente. Sans eux, la Quête n'aurait ni commencé ni réussi. Leur magie blanche a soutenu la foi des héros.

Plusieurs princes elfes ont des rôles peu développés dans le roman. Celeborn, époux de Galadriel, tient la place effacée de prince consort même si le roman signale à la fin son attaque contre Dol Guldur. Elladan et Elrohir, les jumeaux d'Elrond, manifestent brièvement dans les derniers combats leur beauté rayonnante et leur courage guerrier. Arwen même, dont la fonction dramatique est bien plus essentielle, apparaît rarement.

Arwen, « fille de roi », dite aussi Undómiel, « l'étoile du soir » (parce qu'elle est la plus belle jeune fille elfe de cette époque du déclin des Elfes), séduit par sa beauté brune et lumineuse. Elle a longtemps habité la Lórien avant de revenir à Fondcombe près de son père. Frodon est ébloui de tant de grâce. Dès ce moment, on l'aperçoit près d'Aragorn et peu à peu, on devine l'amour qui les unit. Ils sont rencontrés en 2951 et se sont fiancés en 2980, ils se marieront à la fin de la Guerre de l'Anneau. Cet amour parfait, unique, sublimé, patient, rappelle l'amour du chevalier et de la Dame dans les romans courtois du Moyen Âge. Arwen offre à l'aimé des dons qui symbolisent leur union : son cheval Roheryn, la pierre verte Elessar, l'étendard qu'elle brode de ses mains. Elle ressemble, par son aspect comme dans son choix amoureux, à son ancêtre mythique Lúthien : elle aussi renonce à son immortalité et dit adieu à son père, Elrond, pour partager la vie d'un mortel.

Elrond, « voûte étoilée », fils d'Eärendil et d'Elwing, a choisi à la fin du 1er Âge la race des Elfes. Au 2e Âge, il a participé aux combats contre Sauron et se tenait près de Gil-Galad au moment où il a été tué. Il fait alors de Fondcombe un refuge pour tous ceux qui veulent échapper aux périls de l'Ombre : il détient Vilya, l'Anneau de saphir que lui a légué Gil-Galad, et s'en sert pour défendre du Mal sa vallée. Il a épousé au 3e Âge Celebrían dont il a eu trois enfants ; blessée par les Orques, elle a dû partir en Aman.

« La puissance d'Elrond réside dans la sagesse, non dans les armes », dit-on. Conformément à cette réputation, dans les chapitres qui lui sont consacrés, il joue le rôle de conseiller et d'arbitre. Fondcombe est véritablement le QG de la lutte contre Sauron. Elrond envoie des patrouilles pour recueillir toutes les informations nécessaires à l'action, il garde les traditions que l'on raconte dans sa grande Salle du Feu pour éclairer les esprits et soutenir la foi des Elfes et des voyageurs. À Fondcombe, s'est formé naguère le Conseil Blanc ; dans le roman, s'y réunit le Conseil qui décide l'expédition de l'Anneau et choisit la Compagnie qui la mènera. Hospitalier, il accueille sans discrimination les représentants de tous les Peuples Libres et tâche d'apaiser leurs querelles. Il apparaît sous un jour familier et simple, par exemple dans ses relations avec Bilbon qu'il avait déjà reçu lors de ses aventures et qu'il héberge dans sa vieillesse. Mais il possède un grand pouvoir qu'il manifeste en déclenchant la crue du Bruinen qui emporte les Nazgûl ou en ressuscitant Frodon mourant. Pouvoir qui transparaît sur son visage.

> « Le visage d'Elrond était sans âge, ni jeune ni vieux, bien qu'on y pût lire le souvenir de maintes choses, tant heureuses que tristes. Sa chevelure était sombre comme les ombres du crépuscule, et elle était ceinte d'un bandeau d'argent ; ses yeux étaient du gris d'un soir clair, et il y avait en eux une lumière semblable à celle des étoiles » (t. 1, II, pp. 303-304).

À la fin du récit, sa tâche est accomplie ; il laisse la place aux Hommes et va rejoindre les autres Elfes au-delà des mers. Mais son retour vers la lumière est assombrie par une ultime douleur : il doit se séparer de sa fille, Arwen, qui a choisi la vie des Hommes.

Galadriel, « dame de lumière », aussi dite « la blanche Dame » ou « la dame de la Forêt », fille de Finarfin, est la plus puissante des nobles Elfes de Terre du Milieu. Elle détient Nenya, l'Anneau de diamant. Elle règne sur la Lórien que son pouvoir protège de tout mal et y accueille les Compagnons de l'Anneau après leur traversée de la Moria.

> « Ils étaient très grands, la Dame non moins que le Seigneur ; et ils étaient graves et beaux. Ils étaient entièrement vêtus de blanc ; et les cheveux de la Dame étaient d'or foncé, et ceux du Seigneur Celeborn, longs et brillants, étaient d'argent ; mais il n'y avait en eux aucun signe de l'âge, sinon dans l'intensité de leur regard ; car leurs yeux étaient aussi pénétrants que des lances à la lumière des étoiles, et cependant profonds, puits de souvenirs enfouis » (t. 2, III, p. 155).

Le récit loue son extraordinaire beauté que révère son « chevalier servant », le Nain Gimli.

Son aide est déterminante pour le succès de la Quête comme pour la victoire des armées. Douée de télépathie, elle explore les véritables souhaits de ses interlocuteurs, elle les tente pour tester leur résistance. Sam a eu l'impression de se trouver tout nu devant elle. Si elle devine alors ce qui se passe dans le cœur de chacun, elle n'intervient que pour encourager ou avertir, en se gardant d'influer directement sur le cours des choses. « Je ne suis pas une conseillère », dit-elle. Pour préserver la liberté des compagnons, elle s'adresse à eux en oracles assez énigmatiques. Ainsi le message qu'elle envoie à Aragorn lui rappelle l'existence du Chemin des Morts mais lui laisse l'initiative de comprendre et de décider. Elle pressent l'avenir et les personnages constatent peu à peu que les précieux présents qu'elle leur a offerts, à un moment donné, leur deviennent indispensables pour sauver leur vie. Les manteaux gris qu'elle a tissés dissimulent dans le paysage ceux qui les portent, la broche qui les agrafe peut servir de marque de reconnaissance. Les barques donnent un trajet facile le long de l'Anduin, le « pain de route » nourrit ceux qui s'engagent en Mordor. La lumière qu'elle a incluse dans une petite fiole de cristal secourt Frodon et Sam dans l'antre d'Arachne car les créatures maléfiques les plus puissantes ne peuvent supporter son éclat ; elle anéantit les Guetteurs alors qu'elle rend courage et foi aux Porteurs de l'Anneau. Il semble parfois que la pensée de Galadriel, à la manière d'un ange gardien, suive les deux amis et leur inspire les bonnes décisions. Les graines données à Sam feront reverdir la Comté.

Elle emmène Frodon et Sam dans son jardin secret pour qu'ils regardent le Miroir d'eau qui montre « des choses qui furent, qui sont ou qui pourront encore être ». À Frodon elle dit clairement la vérité sur l'enjeu de la mission, sur l'étendue et les limites de son empire. Galadriel semble la seule à pouvoir défier Sauron et à explorer ses pensées tout en lui interdisant de lire dans les siennes. Dans cette scène, elle rayonne d'un éclat blanc, comparable à celui de l'Étoile du Soir, Undómiel. Quand Frodon lui offre l'Anneau, elle a la sagesse de le refuser : elle se défend contre la tentation du pouvoir suprême, sachant que, même assumée au départ pour de bonnes raisons, la toute-puissance ronge l'âme. Elle accepte de diminuer et de renoncer à la Lórien, à toute domination à venir. À la fin du récit, elle s'embarque aux Havres Gris et quitte la Terre du Milieu avec les Elfes. Son temps s'achève.

• Les Rois-Chevaliers

La lignée des Rois de Rohan

Théoden, fils de Thengel, est le roi héréditaire de Rohan. Parvenu à l'âge respectable de soixante-dix ans, il a gardé une grande force physique et morale. S'il apparaît d'abord comme un vieillard épuisé, somnolent et débile, c'est qu'il a été engourdi par un mauvais conseiller, Gríma, traître à la solde de Saroumane. Gandalf et Aragorn le rappellent à lui-même et il décide courageusement de partir pour ses dernières batailles. Il apparaît dès lors comme le modèle du vieux roi, obéi fidèlement, vénéré de tous ses sujets, qui prend avec énergie et rapidité les décisions nécessaires. Il conduit ses armées à la bataille de Fort-le-Cor, puis mène la folle chevauchée vers Minas Tirith. Homme de loyauté, il court au secours du Gondor ; il sait aussi reconnaître la loyauté des autres : il fait confiance sans hésitation à Ghân-Buri-Ghân. Enfin il obtient la belle mort qu'il appelait de ses vœux en affrontant le Roi-Sorcier. Ses funérailles grandioses et les chants que compose son ménestrel le font entrer dans la légende. Cette figure presque stéréotypée du Roi ne manque pourtant pas de sensibilité : il pleure la mort de son unique fils, Théodred, tombé au début du roman, et celle de ses lieutenants fidèles, il s'inquiète pour les siens, il aime tendrement ses neveux, Eomer et Eowyn.

Eomer, fils de la sœur de Théoden, est un parfait chevalier. Aragorn reconnaît immédiatement en lui un frère d'armes. Ami de Gandalf, il demeure en disgrâce tant que Gríma est favori mais ne se rebelle pas contre son Roi sur lequel il continue de veiller avec sollicitude. Il retrouve sa place quand Théoden renaît. Combattant valeureux, il est saisi, comme les héros des légendes anciennes, d'une fureur sacrée au moment des combats, une sorte d'énergie pure. Il est le successeur logique de Théoden et le dix-huitième roi de Rohan.

Eowyn, sa sœur, la « blanche Dame de Rohan », est une création plus originale. Cette jeune fille grave a voué sa jeunesse à soigner son oncle et paraît belle et triste à la fois.

> « Son visage était très beau et ses longs cheveux semblaient une rivière d'or. Elle apparaissait mince et élancée dans sa robe blanche ceinte d'argent ; mais elle était en même temps forte et dure comme l'acier, fille de rois [...], belle et froide, comme un pâle matin de printemps » (t. 2, III, p. 155).

Cette vierge guerrière ne tolère pas que les femmes doivent rester au foyer en attendant le retour du guerrier et elle se déguise pour suivre les armées de Rohan. Cachée sous le nom de Dernhelm, elle adopte comme compagnon l'autre indiscipliné, Merry, et l'emmène jusqu'à Minas Tirith. Sans peur, elle n'hésite pas à affronter le Roi-Sorcier lui-même et à réaliser la prédiction qui disait qu'il ne pourrait être abattu par aucun Homme. Héroïsme ambigu car son combat est aussi un suicide. Elle désire au moins finir en beauté. Car elle a conçu dès le premier regard une passion absolue, et qu'elle sait impossible, pour Aragorn. Quelques belles scènes décrivent leurs rencontres silencieuses : elle lui tend de façon très symbolique la coupe de l'adieu lorsqu'il part pour le Chemin des Morts.

Atteinte par le Souffle Noir lors de son ultime combat, elle est cru morte mais Aragorn parvient à soigner son corps. Dans les jardins des Maisons de Guérison, elle rencontre le sage Faramir ; l'amour patient de celui-ci, après le passage par la mort rédemptrice, soigne son âme. Elle accepte sa féminité en aimant Faramir. Une belle image romantique évoque leur idylle. « Ils se tinrent ainsi sur les murs de la Cité de Gondor, et un grand vent s'éleva et souffla, et leurs cheveux, noir de jais et blond d'or, flottèrent mêlés dans l'air[1]. » Elle annonce elle-même sa guérison et son choix à Aragorn : elle épousera Faramir.

La lignée des Intendants de Gondor

Deux complexes taraudent la lignée des Intendants. Il ne sont pas rois et supportent malaisément ce qu'ils ressentent comme une injustice. Les relations complexes entre le père et les fils provoquent bien des troubles.

Les fous d'orgueil

Denethor gouverne Gondor puisque la lignée des rois s'est éteinte. La mort prématurée de sa femme a aigri son caractère et a laissé se développer les pousses malsaines de l'ambition. Pippin est frappé en entrant dans la grand-salle de Minas Tirith par sa tristesse désolée, par l'image de ce siège au pied du trône qui rappelle sans cesse l'humiliation qui blesse les cœurs. Bien que Denethor soit censé accueillir en Gandalf un allié qui vient lui promettre un appui contre les dangers qui s'approchent, il énonce rapidement les véritables sentiments de rage et de haine qui l'animent. Il estime n'avoir besoin d'aucun conseil, puisqu'il possède assez de sagesse à lui seul. Gandalf soupçonne peu à peu ce qui se vérifie à la fin : il détient l'un des palantiri et s'en est servi pour voir au loin, mais trop sûr de lui, il ne s'est pas aperçu que Sauron a détourné les visions pour contrôler son esprit.

La même inconséquence marque ses relations avec ses fils : en voulant avantager Boromir, parce que son orgueil flatte le sien, il l'envoie à la mort ; il persécute Faramir le sage et il s'en faut de bien peu qu'il ne le tue. Il jalouse, comme le signalent ses propos insultants, l'influence que Gandalf exerce sur celui-ci. Denethor, rendu fou par Sauron, meurt misérablement en se suicidant par le feu.

1. Livre VI, p. 329.

Boromir, fils aîné de Denethor, est un des meilleurs capitaines du Gondor. Ce beau chevalier, haute taille, noble visage, cheveux bruns et yeux gris, expression grave et fière, attire le regard dans la maison d'Elrond par son allure... et parce qu'il reste assis à l'écart. Attitude déjà significative. Alors qu'il n'a guère de goût pour les voyages lointains et ne souhaite guère connaître les autres races de la Terre du Milieu, alors qu'il est étroitement pragmatique et ne saisit pas l'importance du passé, il a évincé son cadet de l'expédition chez les Elfes parce qu'il ne supporte pas d'être en quoi que ce soit le second. Faute désastreuse. Il s'enrôle ainsi dans la Communauté de l'Anneau, lui qui a si peu le sens de la solidarité ! Dès le premier jour, bien qu'Elrond ait expliqué aux Compagnons la nécessité d'une discrétion totale, il sonne de son cor d'argent en alléguant que, dans sa famille, on le fait toujours au moment de partir en expédition. Il grogne et proteste, par exemple pour descendre sous terre, dans la Moria. Galadriel lit fort justement dans ses pensées et sait combien ses intentions s'écartent du but commun. Il cède de plus en plus à la tentation du pouvoir et menace Frodon pour s'emparer de l'Anneau. Il se rachète par une mort héroïque en défendant Merry et Pippin contre les Orques. Ses pairs lui rendent les honneurs dus au brave : ils étendent son corps sur une barque funèbre qui descend l'Anduin jusqu'à la mer. Tous auront la délicatesse de laisser ignorer à sa famille ce moment de trahison ; pourtant Faramir le devinera à la réticence de Frodon.

Le sage

Faramir [1], fils cadet de Denethor, est une personnalité tout à fait exceptionnelle, une sorte de fils spirituel de

---

1. Passages essentiels : la rencontre en Ithilien et le long dialogue avec Frodon (t. 2, IV, chapitres IV à VI) ; le face-à-face avec son père (t. 3, V, chapitre IV), et la guérison d'Eowyn (t. 3, VI, chapitre V).

Gandalf qui lui sauve par deux fois la vie. Une singulière sympathie s'établit immédiatement entre Frodon et lui. Grâce à un des rares véritables dialogues de l'œuvre, le lecteur entrevoit en même temps que Frodon la beauté de son caractère.

Leur rencontre a lieu en Ithilien où Faramir dirige les Éclaireurs chargés de surveiller les frontières du Mordor. Frodon et Sam sont forcément arrêtés comme suspects, d'autant qu'ils ne veulent rien révéler de leur mission. Ce grave et courtois jeune homme ressemble certes à Boromir par sa stature imposante et sa belle allure. Mais ses yeux gris scrutent les interlocuteurs avec une intelligence aiguë, il les écoute et saisit même tout ce qu'ils ne disent pas comme s'il lisait dans leurs pensées. Sam le compare au magicien Gandalf. Faramir décide contre toute prudence de faire confiance à Frodon : il lui fait visiter le poste secret d'Henneth Annûn et le laisse repartir. Au contraire de son frère si égocentrique, il est doué d'une étonnante empathie.

Sa vive sensibilité le fait aussi souffrir : fils respectueux, il supporte mal la rudesse et l'injustice de son père à son égard. Gandalf se sent obligé de lui glisser un dernier mot lorsqu'il est envoyé en expédition pour écarter de son esprit la tentation du suicide. Loin d'être plein d'assurance et d'orgueil comme le reste de sa famille, il doute de ses forces et refuse de voir l'Anneau, il admire sincèrement le courage des Hobbits qui ont assumé cette mission.

Il connaît de façon approfondie le passé du monde et raconte longuement à son hôte l'histoire de Númenor dont il se sait et se sent héritier. Son père lui reproche violemment sa bienveillance et sa générosité qu'il juge déplacées dans un temps de guerre. Pourtant Faramir est un combattant valeureux et prouve ses qualités de soldat comme de capitaine : ses hommes le vénèrent et sont prêts à tout pour le sauver comme le montre l'exemple du garde Beregond. Mais ce contemplatif, qui passe de longs moments à méditer sur les paysages, aspire à la paix et développe avec ferveur le rêve d'un monde meilleur[1]. Ce n'est pas par hasard que les Elfes l'avaient choisi en lui adressant un songe. Sam lui rend un hommage spontané et vibrant : « Vous avez montré votre qualité, la plus haute ». Pippin dès qu'il le voit ressent le même élan pour ce « Roi des Hommes né à une époque ultérieure, mais touché par la sagesse et la tristesse de la Race Ancienne ».

Il conduit la retraite des troupes d'Osgiliath à Minas Tirith ; Gandalf le sauve in extremis. Au combat, il est atteint par le Souffle Noir et glisse vers le coma. Une deuxième fois, Gandalf l'arrache à une mort certaine quand son propre père veut allumer son bûcher. Ce miraculé sera rappelé parmi les vivants par les soins d'Aragorn. Dans le jardin de sa convalescence, il rencontre Eowyn dont il perçoit la désespérance et la guérit de son mal de vivre par sa douce patience. Son destin est en harmonie avec ses vertus : il épouse Eowyn qu'il a immédiatement aimée d'un amour total et serein. Devenu Intendant de Gondor, il choisit de vivre loin de tout éclat princier dans son fief de l'Ithilien dont il cultive la beauté paradisiaque.

Seul comparable en noblesse à Aragorn, il touche davantage par son humanité ; sa philosophie de la vie semble refléter celle de Tolkien.

• **Du côté obscur**

Saroumane, le mage déchu

Saroumane le Blanc, premier de son ordre des Istari, a été envoyé avec ses compagnons en Terre du Milieu vers l'an 1000 pour surveiller les complots de Sauron. Il connaît particulièrement bien l'histoire des Anneaux et devient, en 2463, chef du Conseil Blanc. Il a beaucoup exploré les régions de l'Est. Les Intendants de Gondor

1. T. 2, IV, p. 374.

l'autorisent à s'installer dans l'Isenguard. Au début, tout se passe bien avec ce fidèle allié du Rohan. Puis il annexe ce domaine et s'y enferme. Vers 3000, il se croit assez fort pour utiliser le Palantir d'Orthanc afin d'espionner Sauron ; il cherche à retrouver l'Anneau pour le confisquer à son profit. Et comme il l'entreprend avec un cœur plein d'orgueil, Sauron a prise sur lui et, sans qu'il en ait conscience, le pervertit. Gandalf, venu à Orthanc vérifier les rumeurs fâcheuses qui courent, est retenu là comme prisonnier. Quand, libéré par l'Aigle Gwaihir, le mage peut rejoindre Fondcombe, il avertit tous ses compagnons de cette nouvelle donne. Saroumane envoie des patrouilles d'Orques pour s'emparer des Compagnons ; ils ne peuvent enlever que Merry et Pippin, qui s'enfuient quelques jours plus tard. Il fait attaquer Fort-le-Cor que vont défendre Gandalf et les forces de Rohan. Ceux-ci continuent sur Orthanc où les ont devancés les Ents qui ont déjà réduit toute résistance.

En effet Saroumane, une fois détourné du Bien, a arraché et brûlé les arbres, creusé la terre d'ateliers secrets ; par d'horribles manipulations génétiques, il prépare des armées d'Orques d'un modèle plus performant. Il massacre la Nature. C'est de ce forfait que les Ents le châtient. Les personnages entendent beaucoup parler de lui mais ne le rencontrent directement qu'à deux reprises. Après sa défaite, il se sert des pouvoirs enjôleurs de sa voix pour convaincre ses ennemis de sa bonne foi. Il échoue et se répand en imprécations. Les Ents le gardent prisonnier tout le temps du roman, mais le laissent échapper à la fin. Les Hobbits le retrouvent donc dans la Comté dont il a par vengeance abîmé les paysages. Il finit misérablement.

Gollum, une créature ambiguë

Gollum était un Hobbit établi assez loin de la Comté, près des Champs d'Iris. Il s'appelait alors Sméagol. En pêchant dans la rivière, son cousin, vers 2463, trouve l'Anneau de Pouvoir. C'est là que bascule le destin du

Hobbit : sans savoir ce que l'Anneau est exactement, Sméagol le convoite et tue son cousin pour le voler. Les années passent et de plus en plus il tombe sous le pouvoir de l'Anneau. Il en devient fou, attaché frénétiquement à sa possession, et se cache au fond de cavernes dans les Monts de Brume pour couver son trésor. Il ne supporte plus aucune lumière, ni du soleil, ni de la lune, si bien que tout ce qui vient des Elfes, ces êtres de lumière, le brûle. Il se transforme physiquement : maigre, voire squelettique, il a de longs bras fureteurs. Il perd presque la vue mais il développe une ouïe aiguisée. Il se déplace en silence sur de grands pieds plats et grimpe avec agilité. On n'entend à son passage qu'une sorte de frôlement. Sa peau noire et ses larges yeux pâles lui donnent un aspect tout à fait étrange, que renforce sa parole : ses discours sont hachés, entrecoupés de glougloutements déplaisants. De là vient son nouveau nom, Gollum. Il parle de lui à la troisième personne, comme s'il était devenu étranger à lui-même, semble parfois partagé, comme dédoublé en deux êtres : Gollum et Sméagol.

Quand Bilbon récupère l'Anneau, Gollum sombre dans le délire et quitte son asile pour le retrouver. Il erre à travers la Terre du Milieu si bien qu'il est capturé par Sauron qui le torture pour lui faire avouer l'histoire de l'Anneau. Il livre le nom de Sacquet. Gollum garde un souvenir terrifié de cette captivité. Relâché par Sauron en 3017, il est pris par Aragorn ; Gandalf apprend de lui à son tour les péripéties de l'Anneau et le confie aux Elfes de la Forêt Noire. Il s'en échappe. Tous ces événements sont rapportés par bribes aux héros et le lecteur reconstitue comme un puzzle les aventures de Gollum, mais, faute de la rencontrer, cette créature reste totalement énigmatique.

En fait, dès le début de son expédition, Frodon entend des bruits suspects, aperçoit des ombres vagues. Il est le seul à avoir conscience d'une présence, signe qu'il entretient déjà avec Gollum une relation privilégiée. Gollum finit par se montrer quand Frodon et Sam poursuivent seuls leur route. Comme il connaît les parages du Mordor, il leur sert de guide vers Cirith Gorgor, puis vers Cirith Ungol. Faramir prévient Frodon contre lui car il sent en lui quelque chose de perfide ; Sam le bouscule et se méfie de lui. Mais Frodon a pitié de cette pauvre créature et choisit de lui faire confiance ; il lui sauve même la vie à Henneth Annûn. Difficile de savoir s'il a mal placé sa confiance car Gollum l'aide réellement et semble éprouver de la reconnaissance, voire une certaine affection pour lui, mais il l'attire dans un piège en prévenant l'Araignée de son passage. Tout à la fin, bien malgré lui, il sauve Frodon et sa mission en lui arrachant le doigt et l'Anneau d'un coup de dent, puis en glissant dans les Crevasses du Destin.

GÉNÉALOGIES SIMPLIFIÉES DE QUELQUES HÉROS DE L'HISTOIRE

Hobbits [1]

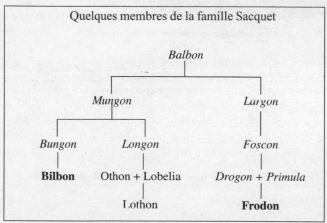

1. En italique, les personnages qui n'apparaissent pas dans le roman ; en gras, les héros.

Elfes[1]

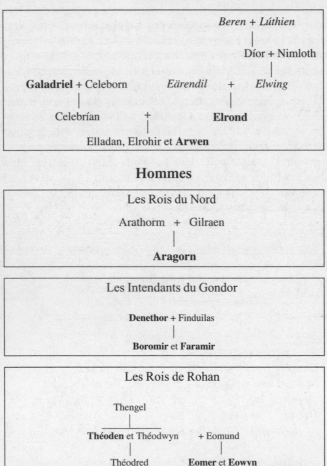

```
                              Beren + Lúthien
                                     |
                              Díor + Nimloth
                                     |
Galadriel + Celeborn    Eärendil  +  Elwing
        |                            |
    Celebrían        +           Elrond
              |
    Elladan, Elrohir et Arwen
```

Hommes

Les Rois du Nord

```
Arathorm  +  Gilraen
        |
     Aragorn
```

Les Intendants du Gondor

```
Denethor + Finduilas
        |
Boromir et Faramir
```

Les Rois de Rohan

```
        Thengel
           |
Théoden et Théodwyn   + Eomund
        |
    Théodred       Eomer et Eowyn
```

1. En italique, les personnages mythiques que réincarnent en un sens Aragorn et Arwen, par leur histoire d'amour et par la mission qu'ils mènent à bien ; en gras, les personnages qui jouent un rôle majeur dans le roman.

IV – CRÉATIONS

LES ANNEAUX

Le poème des Anneaux

Trois Anneaux pour les Rois Elfes sous le ciel,
Sept pour les Seigneurs Nains dans leurs demeures de pierre,
Neuf pour les Hommes Mortels destinés au trépas,
Un pour le Seigneur des Ténèbres sur son sombre trône
Dans le Pays de Mordor où s'étendent les Ombres.
Un Anneau pour les gouverner tous, Un Anneau pour les trouver,
Un Anneau pour les amener tous et dans les ténèbres les lier
Au Pays de Mordor où s'étendent les Ombres.

   Et en version originale :
Three Rings for the Elven-kings under the sky,
Seven for the Dwarf-lords in their halls of stone,
Nine for Mortal Men doomed to die,
One for the Dark Lord on his dark throne,
In the Land of Mordor where the Shadows lie.
One Ring to rule them all, One Ring to find them,
One Ring to bring them all and in the darkness bind them
In the Land of Mordor where the Shadows lie.

Origine

Date : 2ᵉ Âge, entre 1500 et 1590.
Lieu : Ost-in-Edhil, cité elfe d'Eregion, près de la Moria.
   Les Elfes ont jadis forgé de nombreux anneaux magiques, dotés de divers pouvoirs, un peu à titre expérimental selon Gandalf (I, p. 71) : *« pour les Elfes orfèvres, ce*

163

n'étaient que des babioles, néanmoins, à mon idée, dangereuses pour les mortels. »

La guilde des orfèvres elfes (Gwaith-i-Mírdain), fière de son génie et séduite à son insu par Sauron, déguisé en maître orfèvre, inventa les Anneaux de pouvoir. Elle en créa sept pour les seigneurs nains et neuf pour les rois humains. Mais le seul Celebrimbor a fabriqué les trois anneaux des princes elfes.

Date : 2ᵉ Âge, 1600.
Lieu : le Mont du Destin (Orodruin), volcan de Mordor.

Enfin le maléfique Sauron a conçu, pour dominer tous les autres, l'Anneau Unique, et il l'a forgé en lui instillant ses pouvoirs. L'Anneau ne peut être détruit que là où il a pris forme.

« Et dès qu'il mit l'Anneau Unique à son doigt, Sauron pouvait percevoir toutes les choses faites grâce aux anneaux inférieurs, et il pouvait voir et gouverner les moindres pensées de ceux qui les portaient » (Le Silmarillion).

Pouvoirs

« Le pouvoir principal des anneaux était d'empêcher ou de ralentir l'altération (le "changement" vu comme une chose regrettable), de préserver ce qui était désiré ou aimé [...]. Mais ils amplifiaient aussi les pouvoirs naturels de leur possesseur, approchant ainsi la "magie", une intention facilement corruptible en mal, une soif de la domination. Et finalement, ils avaient d'autres pouvoirs, dérivés plus directement de Sauron, tels que rendre invisible un corps matériel, ou visibles les choses du monde invisible » (Lettres).

Les anneaux sont dès l'origine maudits. Celui de Sauron au premier chef, imaginé pour faire régner le Mal sur Arda. Ceux de la guilde aussi sont entachés de mauvais sentiments. Sans doute les Elfes étaient-ils mus par la noble ambition de réaliser un chef-d'œuvre mais l'orgueil de dépasser les autres créatures et d'égaler les dieux les habitait secrètement : ils désiraient éviter l'altération des choses et des êtres par le temps. Ainsi les seize anneaux pourront-ils être détournés vers le Mal. Seuls les Trois lui échappent, peut-être en raison de la plus grande pureté de leur conception originelle, et surtout parce que leurs possesseurs ne les ont pas utilisés tant que Sauron possédait le Maître Anneau.

Dans *Le Seigneur des Anneaux*, ne se manifestent que le pouvoir des Trois et celui de l'Unique. Les anneaux des Elfes préservent leurs domaines du pouvoir de Sauron et font de Fondcombe et de la Lórien des oasis magiques. Ils semblent conférer des capacités de voyance (au loin, dans l'avenir...). L'Anneau Unique, comme jadis les Neuf et les Sept, rend invisible celui qui le passe à son doigt et préserve sa jeunesse. Ainsi on constate que Bilbon et Frodon ne vieillissent pas en apparence.

Le Maître Anneau renferme des forces terrifiantes : par lui, au 2e Âge, Sauron a gouverné tous les peuples qui le vénéraient comme un dieu. Il pouvait contrôler tous ses serviteurs : les Orques, les Trolls, les Haradrim, les Ouargues, et les Nazgûl. S'il ne l'avait pas perdu au 2e Âge, il n'aurait pu être vaincu ; s'il le reprend au 3e Âge, il pourra s'emparer des Trois Anneaux elfes, son œil percevra chaque pensée et chaque action sur la Terre du Milieu et il y établira le règne absolu et éternel du Mal.

Les anneaux rongent et consument ceux qui utilisent leurs pouvoirs. C'est ainsi que les rois humains, entraînés irrésistiblement vers le Mal, sont devenus des spectres au service de Sauron, les Nazgûl. Mais ils ne font qu'amplifier les mauvais instincts qui dorment au cœur des créatures, ils ne les engendrent pas. Ainsi le désir de posséder le Maître Anneau tentera et perdra Boromir. Même Galadriel et Gandalf ne seraient pas à l'abri de telles déviances, c'est pourquoi ils refusent de prendre l'Anneau. Seul

Tom Bombadil, par sa nature divine, est assez parfait pour échapper à son emprise : il peut enfiler l'Anneau sans devenir invisible.

L'Anneau amaigrit Frodon et altère sa santé car il l'oblige à une lutte épuisante. Il suscite en lui de troublantes visions pour l'attirer sur les terres de Sauron ; il le soumet à la tentation (disparaître pour échapper au danger sans se soucier des autres par exemple) pour corrompre son âme et le dominer définitivement. Frodon se bat héroïquement mais seul un miracle (ou un hasard ?) empêche sa défaite finale.

Où se trouvent les Anneaux ?

9 + 7 : Au cours du 2e Âge, Sauron a réussi à s'emparer des Neuf Anneaux des Hommes (et de l'âme de ceux-ci) et de trois des Sept Anneaux des Nains, les quatre autres ayant été détruits.

Sauron a donné les Neuf aux Hommes Mortels pour lesquels l'asservissement était le plus facile : « *Ceux qui utilisaient les Neuf Anneaux devinrent puissants pendant leur temps, rois, sorciers, guerriers. Ils ont obtenu gloire et richesses... Ils avaient, apparemment, une vie éternelle, vie qui leur était devenue intolérable. Ils pouvaient marcher, s'ils le voulaient, invisibles aux yeux de toute chose de ce monde sous le soleil, et pouvaient voir des choses de mondes invisibles aux Hommes Mortels* » (Le Silmarillion).

1 : Un anneau d'or, très lourd, gravé à l'intérieur de caractères elfiques rendus visibles par le feu (I, pp. 75-76) : la formule reproduit les vers 6 et 7 du poème cité ci-dessus.

Dans la bataille finale du 2e Âge, en 3441, Isildur tranche le doigt de Sauron et récupère l'Anneau. Tué dans une embuscade, il perd l'Anneau qui roule dans la rivière. L'Anneau, pêché par Déagol, provoque sa mort : son cousin Sméagol le tue pour s'en saisir. Bilbon le trouve lorsqu'il traverse l'antre de cette créa-

ture étrange et le conserve à Cul-de-Sac, à l'insu de
(presque) tous. Il s'en sert pour disparaître le jour de
ses 111 ans et le lègue à son neveu, Frodon. Là commence l'histoire du roman...

3 : Vilya (« air », « ciel »), anneau d'or orné d'un saphir,
est détenu par Elrond : il l'utilise pour soulever les
eaux du Bruinen et sauver Frodon des Nazgûl.

Nenya (« eau »), anneau de mithril orné d'un diamant,
scintillant « comme une étoile de givre », est porté par
Galadriel : grâce à lui, la Lothlórien est préservée du
Mal.

Narya (« feu »), anneau d'or orné d'un rubis « d'un
rouge de feu », est gardé par Gandalf.

Le prince elfe qui le donne au mage lui précise ainsi
ses pouvoirs : « C'est l'Anneau de Feu et avec lui tu
pourras peut-être rallumer le courage d'antan dans les
cœurs d'un monde qui refroidit. » C'est bien ce que
fait Gandalf dans les batailles contre Sauron.

LES PIERRES DE VISION

Les **palantiri**, « ce qui voit au loin », ou pierres de
vision sont sept globes de cristal élaborés jadis par les
Elfes, en Eldamar. Elles montrent des événements lointains, dans le temps ou dans l'espace. Elles captent mieux
ce qui se passe à proximité d'un autre Palantir ; on peut
aussi transmettre des messages d'une pierre à l'autre. Il
faut exercer sa volonté pour pouvoir diriger la vision d'un
Palantir comme on le désire. À la chute de Númenor,
Elendil a emporté les pierres en Endor. Il a placé la pierre
maîtresse à Osgiliath, la capitale, les autres dans des tours
aux lisières de son royaume. Plusieurs ont été perdues
dans les bouleversements du 3ᵉ Âge.

À l'époque où se déroule *Le Seigneur des Anneaux*,
la pierre de Minas Morgul est au pouvoir de Sauron qui
peut ainsi dangereusement influer sur les autres. La pierre

de Minas Tirith est utilisée par Denethor qui veut mieux connaître Sauron pour le contrer, mais il n'a pas assez de sagesse pour résister à l'Ennemi. Celui-ci gouverne son esprit et le pousse au désespoir et au défaitisme. Denethor se suicide par le feu avec le Palantir dans la main. La septième pierre est restée à Orthanc où Saroumane lui aussi succombe à son désir de pouvoir et à l'influence de Sauron. Quand l'Isengard est vaincu par les Ents, Grima jette inconsidérément la pierre du haut de la Tour. Aragorn en reprend possession en tant que descendant d'Elendil ; il y voit des indices utiles pour ses campagnes ; il parvient même à influencer Sauron en se montrant à lui pour focaliser son attention.

D'autres inventions des Elfes ont aussi un caractère magique : la corde qui revient toute seule et ne tient pas de place, les barques capricieuses et insubmersibles, le cristal d'étoile que Galadriel donne à Frodon, « une lumière quand toutes les autres lumières seront éteintes ».

OBJETS QUOTIDIENS, OBJETS SYMBOLIQUES

Dans cette aventure merveilleuse, tout n'est pas aventure ou merveilleux. Les personnages vivent au quotidien, mangent, boivent, dorment, s'habillent ; Tolkien a donné un tour très familier à certains repas comme le goûter chez Tom Bombadil et un aspect plus surprenant à d'autres mets. En fait les us et coutumes de chaque race de la Terre du Milieu correspondent à sa nature.

Les Elfes sont sobres et davantage tournés vers le spirituel : ils ont fabriqué le lembas dont une portion suffit à la subsistance d'une journée. Ce pain-de-route (lenn : « voyage », et mbass : « pain ») est enveloppé de feuilles qui le gardent frais tant qu'il n'est pas entamé. Ces galettes légères, dorées d'un côté et crème de l'autre, ont un délicieux goût de miel. Les Elfes aiment et respectent la nature, leurs vêtements verts et bruns les fondent dans le paysage, les manteaux tissés par Galadriel prennent les couleurs du monde.

« La couleur en était difficile à définir : ils semblaient gris, avec un reflet du crépuscule sous les arbres ; mais bougés ou placés dans une autre lumière, ils devenaient du vert des feuilles dans l'ombre, du brun des champs en friche la nuit ou de l'argent sombre de l'eau sous les étoiles. Chaque manteau s'agrafait autour du cou par une broche semblable à une feuille verte veinée d'argent.

– Sont-ce là des manteaux magiques ? demanda Pippin, les regardant avec étonnement.

– Je ne sais ce que vous entendez par là, répondit le chef des Elfes. Ce sont [...] des habits elfiques, si c'est ce que vous voulez dire. Feuille et branche, eau et pierre : ils ont la couleur et la beauté de toutes ces choses dans le crépuscule de la Lórien que nous aimons ; car nous mettons la pensée de ce que nous aimons dans tout ce que nous fabriquons » (t. 1, II, p. 490).

Les Nains, qui apprécient les prouesses artisanales et ont le tempérament belliqueux, ont inventé un alliage, blanc, brillant et inaltérable, le **mithril**. Il sert à forger des casques ou des cottes de mailles particulièrement efficaces : légères et fines, elles parent les coups les plus terribles. Frodon, qui a hérité de la cotte de Bilbon, en fait l'expérience dans la Moria. Les Orques, conçus pour les combats, disposent d'une pommade pour cicatriser immédiatement les blessures et d'une sorte d'alcool fort qui brûle et donne « un coup de fouet ». Rien à voir avec les boissons ents, sèves qui transmettent une énergie profonde. Sauron, qui guette, espionne, se méfie de tous et de tout, a fabriqué des statues aux yeux vivants, les Guetteurs, qui empêchent le passage. Les Nazgûl, émissaires de mort, possèdent des poignards dont les éclats restent dans les blessures et cheminent irrésistiblement vers le cœur : Frodon manque en mourir.

Dans un récit où les combats tiennent tant de place, les armes logiquement ont une importance essentielle. Là encore chaque peuple se distingue. Les Elfes préfèrent l'arc, ils voient et frappent de loin, la flèche discrète vole à travers les airs. Les Nains plus rudes se servent violemment de la hache. Les Orques brutaux utilisent le fouet, le marteau, la masse. Les Hommes choisissent davantage le corps à corps et les épées. Les Hobbits, peuple pacifique, n'ont pas d'arme propre : pour reconquérir leurs terres à la fin, ils détournent de leur usage les outils et les instruments agricoles ; pour les batailles de l'Anneau, il faut leur trouver un équipement spécial, une cuirasse de jeune prince par exemple. Comme dans les récits du Moyen Âge, certaines armes passent à la Légende. Elles portent alors un nom, ont toute une histoire personnelle, les héros s'adressent à elles. C'est le cas de **Dard**, l'épée de Bilbon et de Frodon, qui scintille à l'approche d'un Orque. Comme Arthur reconnu comme roi grâce à l'épée Excalibur, Aragorn hérite des tronçons de Narsil, l'arme de ses ancêtres, et la reforger pour que naisse **Anduril** signifie qu'il va revendiquer le trône qui lui revient.

Les boucliers et les étendards arborent bien sûr les couleurs et les figures qui symbolisent chaque seigneur : cheval de Rohan, navire-cygne de Dol Amroth[1], main blanche de Saroumane, œil rouge de Sauron...

LANGAGES

L'invention la plus folle de Tolkien, c'est d'avoir doté chaque race, chaque peuple, d'un langage, voire de plusieurs. Le roman surprend quelques phrases des personnages, des cris de guerre, des chants. Minimes

---

1. T. 3, VI, p. 315, lors de la fête, ou dans les batailles comme dans le tome 3, V, p. 225.

émergences d'immenses icebergs. Depuis son enfance, Tolkien imagine des langages et il a élaboré pour son œuvre des lexiques complexes, des écritures particulières. Il donne même dans les annexes des indications phonétiques ou des particularités syntaxiques. Le langage seul donne pour lui vie et personnalité aux êtres.

Les créatures les plus sauvages, encore proches de l'animalité, articulent peu, profèrent des grognements, des borborygmes déplaisants, des sons rauques. Chez les Orques, chaque tribu utilise un idiome que ne comprend pas la tribu voisine. Gollum, que l'Anneau a fait régresser, a du mal à nouer des phrases, ses paroles sont entrecoupées de glouglous. Les Ents ont un timbre grave, et parlent interminablement : leur langue si lente ne sert que « pour parler des choses qui valent une longue narration et une longue écoute ». Ils émettent une sorte de phrase continue comme une pulsation de vie, un souffle primal : tous les Ents et les Huorns comprennent ce qui est dit à des lieues de distance, plus par une sensibilité physique que par un raisonnement. Les Elfes sont capables de communiquer par télépathie : lors des dernières rencontres entre Arwen et les siens, d'intenses échanges se déroulent ainsi en silence. Ce sont pourtant eux qui, à l'origine, ont éprouvé le désir de parler, ont imaginé les mots et ont appris aux autres races à s'exprimer selon leur nature. La première langue des Elfes, le quenya, reste le langage sacré. Ses sonorités douces et fluides se prêtaient particulièrement au chant. On l'appelle aussi « l'ancien langage » ou le « haut-elfe ». Ils parlent couramment le sindarin, langue moins lyrique mais belle pourtant. Les Edain l'adoptent et, dans le roman, les Dúnedain l'utilisent encore dans leurs conversations privées. L'ouestrain est la langue des Hommes et des Hobbits des anciens royaumes de Gondor et d'Arnor, avec des patois ou dialectes locaux[1]. Les Hommes d'autres contrées et les

1. Il est significatif que cette précision soit une des premières que développe le Prologue (p. 13).

Nains comprennent l'ouestrain et s'en servent comme langue commune.

Les mots ouestrains, dit Tolkien, ont été traduits en vieil anglais et on ne reconnaît pas dans le roman leurs formes spécifiques. On a une idée plus précise des langues elfes grâce aux noms de lieux et aux noms de personnes ; le sens étymologique en est souvent donné au moment où ces lieux ou ces personnes sont présentés car le nom en décrit et résume l'essence. Merry, dit le Prologue, écrit dans sa vieillesse un traité des Anciens mots et noms de la Comté.

La formule de l'Anneau est un exemple du langage noir (celui de Sauron) ; le livre reproduit même les runes [1] originales gravées.

En guise d'illustration, quelques phrases dans les différentes langues :

elfique : *elen sila lùmenni, omentielvo*, « une étoile brille sur l'heure de notre rencontre ».

langage noir : *ash nazg durbatulûk, ash nazg gimbatul, ash naazg thrakatulûk agh bruzum-ishi krimpatul.* La formule de l'Anneau.

orque : *ouglouk ou bagronk sha poushdoug Saroumane – glob boubhosh skaï.* Une invective contre Saroumane.

nain : *barouk khazâd ! khazâd ai mênou !* Cri de guerre.

entique : *a lalla-lalla-rumba-kamanda-lind-orburumë* : « ce sur quoi nous sommes, où je me tiens et d'où je contemple les beaux matins, où je pense au Soleil, et à l'herbe au-delà de la forêt, aux chevaux, aux nuages et au déroulement du monde [2]. »

de Gollum : « Laissez-moi, *gollum* ! Je, nous, je ne veux

1. Les Elfes ont également inventé l'écriture ; les caractères se nomment des cirth, ou runes.
2. T. 2, III, pp. 84, 87...

pas revenir. Je ne peux pas le trouver. Je suis fatigué. Je, on ne peut pas le trouver, *gollum, gollum,* non, nulle part. »

Dans la grande fête de la victoire, les langues se croisent pour acclamer les héros :

Vive les Semi-Hommes ! Louez-les avec de grandes louanges !
Cuio i Pheriain anann ! Aglar'ni Pheriannath !
Louez-les avec de grandes louanges, Frodon et Samsagace !
Daur a Berhael ! Conin en Annûn ! Eglerio !
Eglerio ! Louez-les !
A laita te, laita te ! Andave laituvalmet !
Louez-les !
Cormacolindor, a laita tarienna !«
Louez-les ! Les Porteurs de l'Anneau, louez-les avec de grandes louanges !

BOUSSOLES

I – L'AUTEUR

REPÈRES BIOGRAPHIQUES

1892 3 janvier : naissance à Bloemfontein (Afrique du Sud) de John Ronald Reuer Tolkien, fils d'Arthur Tolkien et de Mabel Suffield.

1895 Mabel Tolkien emmène ses fils, JRR et son jeune frère Hilary dans sa famille en Angleterre.

1896 Arthur Tolkien meurt à 39 ans en Afrique du Sud. Mabel se convertit au catholicisme malgré l'opposition de sa famille et élève seule ses deux enfants ; leur situation financière est modeste. Elle meurt prématurément en 1904, à 34 ans.

1905 Le père Francis Morgan, tuteur choisi par Mabel, s'occupera avec soin de l'éducation des deux frères.
John tombe assez vite amoureux d'une jeune orpheline logée dans la même maison, Edith Bratt.

1911-1915 John obtient une bourse à Oxford où il se spécialise peu à peu en langue et littérature anglaises.

1916 Mariage avec Edith Bratt. Ils auront trois fils : John en 1917, Michael en 1920, Christopher en 1924, et une fille, Priscilla, en 1929.
Juin : Tolkien part faire la guerre sur la Somme mais il est rapatrié, pour maladie, en novembre.

1917 Il se met à écrire *Le Livre des Légendes perdues*, qui deviendra *Le Silmarillion*.

1918 Il s'installe à Oxford et entre dans l'équipe du Nouveau Dictionnaire d'anglais.

1920 Il est nommé assistant d'anglais (*lecturer*) à l'université de Leeds ; il deviendra professeur en 1924.

1922 Publication du *Vocabulaire de moyen anglais*.

1925 Il publie des articles savants et des poèmes ; édition de *Sire Gauvain et le Chevalier vert*, roman d'aventures du Moyen Âge (en collaboration avec E.V. Gordon).

1925 Il est élu professeur d'anglo-saxon à Oxford où il déménage avec sa famille.

1930 Il commence à écrire *Bilbo le Hobbit*, puis l'abandonne.

1934 Parution des *Aventures de Tom Bombadil* (poème).

1936 Parution de *Chants des philologues*, recueil de vers humoristiques conçu avec quelques collègues ; il termine *Bilbo le Hobbit* qui est publié en 1937 chez Allen & Unwin ; son éditeur lui suggère d'écrire une suite, qui deviendra *Le Seigneur des Anneaux*.

1945 Il est élu professeur de langue et littérature anglaises à Oxford.

1949 Il achève *Le Seigneur des Anneaux*.

1954-1955 Parution du *Seigneur des Anneaux*.

1964 *Tree and Leaf (L'Arbre et la Feuille)*, essai sur les contes de fées.

1965 Édition pirate aux États-Unis du *Seigneur des Anneaux* ; le roman devient un livre-culte sur les campus.

1967 *The Road Ever Goes on*, recueil de poèmes et chansons de la Terre du Milieu, mis en musique et accompagné d'un disque.

1971 Mort de sa femme Edith.

1973 Il meurt le 2 septembre, à 81 ans.

1973-1974 Calendriers avec des dessins de Tolkien qui seront aussi tirés en posters et en cartes postales.

1976 *Les Lettres du Père Noël*.

1977 *Le Silmarillion*.

1979 *Le Seigneur des Anneaux*, long métrage animé de R. Bakshi (production de P. Zaentz).

2001 *Le Seigneur des Anneaux* (premier épisode) film de Peter Jackson.
Les 2e et 3e épisodes sont prévus pour décembre 2002 et décembre 2003.

À suivre...

Pour plus de détails sur la vie de l'homme et le travail de l'écrivain, lire le compte rendu complet, vivant et humoristique que propose Humphrey Carpenter dans *J.R.R. Tolkien, une biographie*, Pocket n° 4614.

LE ROMAN D'UNE VIE

LES ANNÉES SOMBRES

Tragédies familiales

Tout commence comme un roman à l'eau de rose ! Arthur tombe follement amoureux de la jolie Mabel, mais les parents ne consentiront au mariage que s'il a une « situation ». Le voilà donc parti de Birmingham pour faire fortune dans la lointaine Afrique du Sud. Enfin, en 1891, leur rêve se réalise : il dirige une banque à Bloemfontein, elle prend le bateau pour le rejoindre. Ils se marient, vivent heureux et ont deux fils, **John Ronald**, en 1892, et Hilary. Mabel se languit des siens et des pluies anglaises, les enfants supportent mal la chaleur, ils décident de prendre de longues vacances dans leur famille mais Arthur qui travaille sans relâche ne peut les accompagner. Épuisé, malade, il meurt loin d'eux en 1896 ; John a quatre ans.

Tout continue comme un mélodrame. Ce n'est pas la misère, mais il faut économiser ; Mabel veut vivre indépendante tout en assurant à ses fils une éducation distinguée. Elle leur enseigne le latin ; ils habitent à la campagne où les loyers sont moins chers. Quel bonheur ! Tolkien se souviendra toute sa vie des prairies, des arbres et des ruisseaux de ce paradis enfantin. Les deux frères lisent avec passion les aventures de vaillants chevaliers. Leurs héros préférés ? Arthur et Sigurd, un héros nordique (voir p. 198). Puis ils imaginent et jouent leurs propres aventures : le meunier du village devient l'Ogre Blanc, et un vieux jardinier, l'Ogre Noir. Première ébauche de Sauron et de Gandalf... *« Nous passions des étés merveilleux à cueillir des fleurs et faire les quatre cents coups »*, raconte Tolkien. *« L'Ogre Noir prenait les chaussures et les chaussettes de ceux qui les avaient laissées sur la berge pour aller ramer et quand on les réclamait, il donnait la fessée. L'Ogre Blanc était moins terrible, mais nous surveillait de près quand nous traversions son territoire pour ramasser des mûres car nous chapardions quelques fleurs ou fruits au passage. »*

Hélas ! pour continuer les études, il faut retourner en ville. La vie en est plus grise. Mabel se convertit au catholicisme et sa famille, farouchement anglicane, la rejette : plus de petits cadeaux pour égayer le quotidien ou arrondir les fins de mois. À son tour, minée par les fatigues et le diabète, Mabel meurt ; elle n'a que 34 ans. Tolkien, à 12 ans, se retrouve chef de famille. Il gardera toujours pour sa mère une profonde affection et restera catholique en mémoire d'elle. Elle lui inspire des personnages féminins doux, lumineux et généreux comme Yavanna, la déesse de la terre, ou l'Elfe Arwen.

Amours contrariées

Mabel, en mourant, a confié les enfants au père Francis Morgan. Il s'occupe d'eux avec soin et affection, il organise leurs études, équilibre leur budget et les emmène en vacances à la mer. Mais il ne peut leur rendre ni un foyer (les garçons louent des chambres à des paroissiennes), ni la tendresse maternelle.

Aussi, à 16 ans, John s'éprend-il d'une jeune voisine,

180

Edith Bratt, âgée de 19 ans. Orpheline elle aussi, elle mène une vie presque cloîtrée entre couture et piano. Tolkien prend alors goût à la musique. Tout à son amour naissant, il néglige ses études ; quand le père Francis découvre cette intrigue clandestine, il est furieux et exige une séparation radicale d'au moins trois ans. Il vient de transformer un penchant en passion. Les jeunes gens s'écrivent, s'attendent ; ils se fiancent enfin en 1914 et se marient en 1916. Ces années romantiques inspirent à Tolkien de belles histoires d'amour entre Elfes et Humains ; il rêve Edith en lúthien ; va-t-il jusqu'à s'imaginer en Beren, le héros intrépide ?

Entre hommes

Au collège de King Edward, tout en cultivant le souvenir d'Edith, il découvre les joies de l'amitié masculine. Entre deux parties de rugby, il apporte sa contribution en victuailles et en conversation au T.C.B.S. (Tea Club Barrovian Society) fondé avec quelques camarades. L'un connaît bien les mathématiques et la musique, l'autre la peinture. Tolkien, lui, est le spécialiste des écrits nordiques : il récite à ses amis des passages de sagas et des poèmes sur les elfes qu'il s'est mis à composer après avoir vu *Peter Pan* au théâtre.

Il obtient une bourse à Oxford en 1911. Ravi de la vie d'étudiant, il fume la pipe et participe aux chahuts universitaires comme aux longs débats entre amis. Ils pratiquent un argot bizarre où *breakfast* devient « brekker », *lecture* « lekker »... Mais il travaille aussi et réussit ! Grâce à J. Wright, un professeur qui l'enthousiasme, il se met à la philologie comparée. « Plonge-toi dans le celtique, lui dit-il, il y a de l'argent là-dedans ! » Tolkien suit le conseil mais pas exactement comme Wright l'avait imaginé ! Sa vocation pour la linguistique ne date-t-elle pas en fait de l'enfance ? À sept ans, il écrit une histoire de dragon qu'il montre à sa mère. *« Elle me fit remarquer qu'on ne disait pas "un vert grand dragon" mais "un grand dragon vert". Je me demandais pourquoi et me le demande encore aujourd'hui ; je n'ai pas écrit d'autre histoire pendant longtemps et je me suis mis à l'étude de la langue.* » Vers dix ans, il invente avec sa cousine un langage, le nevbosh : *« Dar fys ma vel gom palt hoc »* signifiait par exemple « Un vieil homme disait ». Au collège, dans de vieux livres, il apprend des mots d'anglais médiéval et de vieux nordique. Adolescent, il s'enferme pendant des heures pour inventer des mots à partir d'un manuel de gothique.

Il est reçu brillamment en 1915 à son dernier examen et part faire la guerre en France en 1916. Tombé malade, il n'y reste que quelques mois mais n'oubliera jamais l'« horreur animale » de la guerre des tranchées et verra toujours l'expression absolue du Mal dans la violence des combats. Ses deux amis les plus proches meurent sous les obus, lui léguant ce qui a été le projet du T.C.B.S., écrire une mythologie anglaise : *« Que Dieu te bénisse, mon cher John Ronald, et te permette de dire ce que j'ai tenté de dire longtemps après que je ne serai plus là. »*

ANNÉES GRISES ET ANNÉES CLAIRES

La bibliothèque et la tondeuse à gazon

Dès 1918, Tolkien retrouve Oxford où il collabore au Nouveau Dictionnaire d'anglais puis donne des leçons d'expression anglaise. Nommé assistant à l'université de Leeds, il se tourne avec son ami Gordon vers l'anglais ancien en publiant un dictionnaire et en éditant un poème du Moyen Âge, *Sire Gauvain et le Chevalier vert*. Il obtient, à la trentaine, la chaire d'anglo-saxon qu'il souhaitait à l'université d'Oxford. Sa vie d'universitaire et de banlieusard nous paraît dès lors de l'extérieur bien plate en comparaison des aventures qu'il imagine ! Il corrige des centaines de copies pour gagner un peu d'argent. Par souci d'économie mais aussi par refus du paraître, il s'habille de façon grise : veste de tweed, grosses chaus-sures de marche, imper couleur muraille. Sa maison est très banale ; il voyage peu, comme si les lieux qui l'entourent lui importaient moins que ses lieux intérieurs. Il n'est pas exempt de préjugés : il déteste la cuisine fran-çaise et souffre encore de la conquête normande (1066 !). Homme de droite, il reconnaît volontiers qu'il ne croit pas à la démocratie où, dit-il, le principe d'égalité a dégé-néré en orgueil et en ambition.

Malgré l'étendue de ses connaissances et l'énorme tra-vail qu'il fournit, il ne faut pas le voir comme un ennuyeux érudit. Il sait rendre vivant son enseignement ; ses étudiants disent qu'il « transformait les salles de classe en salles de châteaux où il était le barde récitant devant les hôtes ». Un jour que le cours prévu sur les contes n'était pas prêt, il leur lit une histoire qu'il a écrite, *Le Fermier Gilles de Ham* : « ils se tordent de rire ». Dans ses recherches, encyclopédique et minutieux, il res-semble assez à un Sherlock Holmes de la linguistique ! Tous reconnaissent la grande valeur scientifique de ses travaux mais il est si perfectionniste qu'il corrige sans cesse et publie peu.

Les amitiés masculines lui apportent « *des heures dorées où, les pieds tendus vers les flammes, un verre à portée de la main, le monde entier s'ouvre à nous tandis que nous parlons* ». Il crée toujours des clubs : d'abord, au Club viking, puis dans celui des Kolbitars ou Coalbi-ters, « Mangeurs de charbon », on se réunit pour lire des sagas islandaises. Puis au club des Inklings, chacun écrit et lit ses productions aux autres. Dans un pub ou un salon, autour d'une tasse de thé ou d'un verre de whisky, les clubmen commentent et critiquent avec passion leurs œuvres jusqu'à des heures tardives.

Quelques lettres envoyées à son fils Christopher en 1944 illustrent bien son quotidien.

8 avril : Passé une bonne partie de la journée (et de

la nuit) à me battre avec un chapitre. Belle nuit de pleine lune.

14 avril : J'ai réussi à écrire une heure ou deux et j'ai presque amené Frodon aux portes de Mordor. Aprèsmidi à tondre le gazon. Le trimestre commence la semaine prochaine, les épreuves de textes gallois sont arrivées. Mais je profiterai de tous les instants pour continuer l'Anneau.

25 avril : Donné un cours médiocre, tondu trois pelouses, écrit à John, et me suis battu avec un passage rétif de l'Anneau. Là j'aurais besoin de savoir quel retard la lune prend chaque nuit et comment cuire un lapin.

Lettres au Père Noël

« *Elle était ma Lúthien*, dit Tolkien de sa femme Edith, *la tristesse et les souffrances de notre enfance, nous en avons trouvé la délivrance l'un par l'autre. Malgré les ombres qui ont parfois gâché nos vies, nous n'avons jamais cessé de nous rencontrer dans l'ombre de la forêt la main dans la main.* » Ils mènent certes des existences parallèles, il ne la mêle pas à sa vie intellectuelle, mais ils se retrouvent dans leur amour pour leurs enfants : trois garçons, John, Michael et Christopher, et une fille, Priscilla. Tolkien s'en occupe avec joie. Ensemble ils bêchent le potager, ils se promènent en barque, ils partent en pique-nique ou en promenades botaniques. Il les surprend souvent : ainsi un soir de fête, déguisé en guerrier nordique, il se met à poursuivre un voisin, la hache à la main. Il conduit audacieusement sa Morris en ignorant les autres voitures : « *Chargez ! ils se sauveront* », s'écrie-t-il.

Il leur invente surtout des histoires étonnantes : celle de Bill Sticker, un bandit astucieux, les aventures de Rover (un petit chien-jouet perdu par Michael sur la plage) et du Sorcier des Sables, Psammos Psammetikos ! Il leur dessine des albums. Et, chaque mois de décembre, le Père Noël leur écrit d'une plume tremblante en compagnie de l'Ours polaire ou de l'Homme des Neiges, des lettres timbrées du pôle Nord et distribuées « par gnome spécial » ! Il compose pour Christopher, un enfant parfois difficile que calment magiquement les guerres des Elfes contre les puissances maléfiques, *La Route perdue*, un voyage dans le temps où un père et son fils découvrent Númenor, l'Atlantide de Tolkien (voir p. 192).

Une mythologie pour l'Angleterre

Ainsi Tolkien va-t-il remplir la mission dont l'a chargé au nom du T.C.B.S. son ami mort à la guerre : écrire une mythologie anglaise. Enfant, il inventait des langages. Ses connaissances linguistiques étendues lui permettent à présent de perfectionner ces langages imaginaires au point de leur donner les particularités lexicales et phonétiques de « vraies » langues évoluant au cours des siècles. Le finnois ou le gallois lui fournissent des matériaux pour construire le quenya ou le sindarin.

Il ressent peu à peu le besoin d'inventer des histoires pour utiliser ces mots. En lisant le *Kalevala*, un ensemble de légendes finlandaises, il regrette que l'Angleterre n'ait rien gardé de semblable ; aussi projette-t-il de « *construire un corps de légendes liées, allant des vastes cosmologies aux contes de fées romantiques, [...] que je pourrais dédier à mon pays. Cela devait respirer notre "air", le ciel et le sol du Nord-Ouest, la Bretagne, pas l'Italie ni la Grèce, encore moins l'Orient, cette pure beauté que certains nomment celte* ». « Tu devrais te mettre à l'épopée », lui conseille un ami. Et, sur un carnet, Tolkien entame en 1917 *Le Livre des Légendes perdues*, qui devait devenir bien des années plus tard *Le Silmarillion*. Il commence bien sûr par la création du monde, une Terre où les continents auraient une forme différente (voir pp. 46-47). Il continue par la chute de Gondolin (un écho peut-être de ses souvenirs de guerre), la geste des enfants d'Húrin, l'histoire d'amour de Beren et de Lúthien. En 1923, il a presque fini ce livre, mais il ne cesse de le corriger, de le réécrire : par souci de perfection, mais aussi parce que sa création, à ses yeux, reste vivante tant qu'il peut encore la compléter.

Sa conception de son œuvre est d'ailleurs assez étonnante ; il a parfois l'impression qu'elle lui est dictée plus qu'il ne l'invente et qu'elle a quelque chose de « vrai ». Selon lui, les mythes que les hommes imaginent reflètent un peu de la vérité divine sur le monde ; en tout cas, il s'attache à exprimer les vérités morales auxquelles il tient en racontant l'éternelle lutte du Bien contre le Mal. Il croit d'une certaine façon à la réalité de son univers : il choisit avec soin les noms de ses personnages, dresse des cartes minutieuses et des généalogies complexes, il se représente les paysages du conte avec assez de netteté pour les dessiner ou les peindre (voir p. 232). En inventant Bilbo le Hobbit, il unit les deux versants de son inspiration : les histoires pour enfants et les mythes grandioses.

LA VIE DEVIENT UN ROMAN

Un Hobbit vivait dans un trou

Un jour d'été, Tolkien, en corrigeant des copies, tombe sur une copie blanche avec une satisfaction qu'on devine et y griffonne « Un hobbit vivait dans la terre ». Le nom, selon le processus habituel à l'imagination de Tolkien, suggère une histoire, et d'abord un portrait : à quoi peut bien ressembler un hobbit, sinon à son créateur ? « *En fait, je suis un hobbit en tout, sauf en taille. J'aime les jardins et les arbres, je fume la pipe, j'adore les champignons. J'ai un sens de l'humour très simple (qui lasse mes critiques les mieux disposés). Je ne voyage guère.* » Le hobbit ressemble donc à un campagnard anglais, doté d'une imagination limitée mais capable d'un courage indomptable, à l'image des Anglais pendant la Seconde Guerre mondiale.

Au début des années 30, il improvise les aventures du Hobbit pour ses enfants et les rédige jusqu'à l'épisode de la mort du dragon. Puis, comme souvent, il abandonne le manuscrit dans un tiroir. Les enfants ont grandi, ils ne réclament pas la fin, à quoi bon continuer ? Heureusement une de ses étudiantes découvre l'histoire et s'enthousiasme. Tolkien achève alors le récit et l'envoie à une maison londonienne Allen & Unwin. L'un des éditeurs Allen, qui confie astucieusement le rapport de lecture à son fils Rayner, 10 ans, en échange d'un shilling. Le jeune critique conclut : « Ce livre, avec ses cartes, n'a pas besoin d'illustrations, il est bon et devrait plaire à tous les enfants entre 5 et 9 ans. »

Tolkien se heurte pour la première fois (ce ne sera pas la dernière !) aux exigences pratiques des éditeurs, qu'il attribue volontiers à leur sottise ou à leur esprit de contradiction : pas de délicates nuances pour ses cartes, pas d'écriture invisible à déchiffrer en filigrane ! Le livre sort fin 1937 ; au soulagement de Tolkien, un peu inquiet des réactions de ses collègues, l'Université l'ignore mais le public le plébiscite. La première édition est épuisée à Noël et l'éditeur, ravi, réclame d'autres histoires de Hobbits.

Les guerres de l'Anneau

Le comité de lecture n'apprécie guère *Le Silmarillion*, envoyé par Tolkien, dont la complexité et les noms « celtiques » (*sic*) le rebutent. Et puis il n'y a pas de Hobbit là-dedans ! Tolkien entame donc une nouvelle histoire de Hobbit sur le thème du « retour de l'Anneau » mais, à mesure qu'il écrit, l'aventure s'assombrit et prend des dimensions héroïques. Les personnages s'insèrent dans les pays et la mythologie inventés pour *Le Silmarillion* dont le récit devient la suite. L'histoire s'amplifie, le temps passe.

Le romancier attaque le deuxième tome fin 1938, date où « *les événements réels se mettent affreusement à se conformer* » au récit ! Le danger vient de l'est pour Endor comme pour l'Europe : Allemagne d'Hitler et Russie de Staline. Début 1940, Tolkien atteint le milieu du tome II, puis s'interrompt un an. En décembre 1942, il commence le chapitre 31, fin du livre III. L'été de 1943, il se sent « complètement coincé ». En effet il ne cesse de revenir en arrière pour corriger, vérifier la parfaite cohérence de tous les détails géographiques et historiques. Il calcule jusqu'aux phases de la lune ; « *je voulais que les gens pénètrent dans l'histoire et la prennent en un sens pour l'histoire réelle* ».

Arrivera-t-il à mener à terme sa mythologie ? Six ans déjà se sont écoulés, il a 51 ans et s'inquiète. Une voisine acariâtre qui fait élaguer un peuplier de la rue lui inspire une parabole, le joli conte *Leaf by Niggle* où il exorcise ses peurs. Le peintre Niggle (« le pinailleur » !) « *passait un temps infini sur une seule feuille, essayant d'en rendre le luisant, les reflets de rosée, alors qu'il voulait peindre un très grand arbre. [...] L'arbre grandissait, il lui poussait des branches innombrables, des racines fantastiques. D'étranges oiseaux venaient s'y poser, puis, derrière l'arbre, un pays se mit à apparaître* ». Niggle découvre alors que son arbre est devenu réel.

Tolkien fait lire en 1947 *Le Seigneur des Anneaux* à Rayner, le jeune « critique » du *Hobbit*, devenu étudiant à Oxford. Celui-ci apprécie « l'allégorie du combat entre ombre et lumière », compare la quête de l'Anneau au *Ring des Nibelungen* (voir p. 198) et conclut : « C'est un livre étrange et prenant ; les enfants ne comprendront pas tout mais beaucoup d'adultes l'aimeront. » Son admiration réconforte Tolkien qu'agace en revanche le parallèle avec Wagner. Enfin l'histoire est achevée et, après encore des mois de correction minutieuse, Tolkien met un point final au *Seigneur des Anneaux* à l'automne 1949. Son ami Lewis, si volontiers critique, lui adresse ce sincère éloge : « *Ubi plura nitent in carmine, non ego paucis offendi maculis* [« Quand le chant brille de tant d'éclat, quelques taches ne me gênent pas »]. Toutes les années que tu y as passées sont justifiées ! »

Douze ans pour écrire *Le Seigneur des Anneaux* et cinq autres pour le publier ! Tolkien, qui aimerait faire paraître en même temps *Le Silmarillion,* se fâche avec Allen & Unwin, recourt à un autre éditeur, Collins, mais refuse énergiquement toute coupe, tout compromis. Colères, ultimatums, rupture ! Le manuscrit revient à Allen Unwin. Rayner, ravi, le récupère en 1952. Certes Tolkien doit renoncer, la mort dans l'âme, aux lettres rouges qui feraient flamboyer l'inscription de l'Anneau, comme au fac-similé du manuscrit runique de la Moria. Il doit consentir à une division en trois livres. Mais les tomes I et II peuvent sortir en 1954. De rares critiques situent le roman « entre le préraphaélisme et le style boy-scout », la plupart reconnaissent la puissance du récit, sa force de fascination. Le modeste tirage (3 500 exemplaires) prévu par l'éditeur est vite épuisé, les livres sont publiés avec succès aux États-Unis.

Encore quelques péripéties : cartes à refaire, appendices à peaufiner, pour le tome III que les lecteurs attendent avec fébrilité. De nombreuses lettres réclament des éclaircissements sur les personnages, les civilisations. Nouveau concert d'éloges et de critiques à la sortie du tome III en 1955. « Il est rassurant, dit l'un, en cette époque troublée de voir que les humbles hériteront de la terre » ; « une prose biblique et archaïque », « des adolescents attardés », raillent les autres.

Années dorées et tolkienomania

Le premier chèque de droits d'auteur : 3 500 livres, qu'Unwin envoie à Tolkien pour *Le Seigneur des Anneaux* dépasse le montant annuel de son salaire à Oxford ! Le romancier restera toujours surpris par cette fortune tardive après tant d'années d'économie. Il ne se convertit pas au luxe pour autant et se contente de s'offrir quelques petits plaisirs comme des gilets de couleur. Il se montre fort généreux envers sa famille, ses amis, sa paroisse. Et il paie ses impôts avec une patriotique résignation, mis à part quelques éclats antifrançais : « Pas un sou pour Concorde », précise-t-il sur un chèque.

Les traductions se multiplient, *Le Seigneur des Anneaux* devient une affaire internationale. Une édition pirate (A.C.E.) aux États-Unis lui fait plus de publicité que de tort : ses lecteurs le défendent avec énergie, l'éditeur coupable se repent. Les ventes dépassent le million d'exemplaires. Un libraire d'Amsterdam imagine un dîner hobbit où Tolkien prononce une allocution en anglais, mâtiné de néerlandais et d'elfe, qui parodie le discours de Bilbon.

Un véritable culte se développe sur les campus américains. Le roman est adulé comme un pamphlet contre la société technologique contemporaine, un plaidoyer pour l'écologie, un rêve de valeurs héroïques disparues... Des badges proclament : « Frodon est vivant », « Gandalf président ! » Des clubs fleurissent qui publient des revues, organisent des dîners hobbits ou des pèlerinages à Oxford. Des thèses sont entreprises sur la mythologie de Tolkien. L'auteur se montre plutôt choqué par ces débordements qu'il ne prévoyait pas. Il étouffe parfois sous l'assaut des journalistes, des admirateurs qui écrivent, téléphonent à toute heure, sonnent à sa porte. Les demandes saugrenues en revanche l'amusent : on lui demande un jour un nom elfe pour baptiser un taureau !

Une vie qui continue...

La retraite devrait le libérer pour perfectionner et publier *Le Silmarillion* ; en fait, cette disponibilité le déprime. Il s'installe au bord de la mer pour adoucir les dernières années d'Edith, puis revient à son cher Oxford où il reçoit, honneur qui le touche particulièrement, le titre de docteur *honoris causa* en 1972. Il meurt en septembre 1973.

Tolkien a laissé de nombreux manuscrits raturés, corrigés, difficiles à déchiffrer et à coordonner ; il a confié la gestion posthume de ces archives à son plus intime admirateur, son fils Christopher, nourri dès le berceau de la mythologie des Terres du Milieu. Depuis de nombreuses années, celui-ci se consacre à cette tâche avec une érudition maniaque et une dévotion jalouse. Grâce à lui, *Le Silmarillion* paraît enfin en 1977 ; les tomes de *L'Histoire des Terres du Milieu* ont peu à peu rassemblé les inédits : Annales de Valinor, du Beleriand, *La Route perdue*, des essais et des lexiques sur les langues d'Endor, étoffés de notes et d'index. Aujourd'hui les dessins de Tolkien ou les innombrables illustrations que son œuvre a inspirées sont édités en albums, posters, calendriers, agendas. Ses livres sans cesse réimprimés sont traduits en polonais, finnois, hébreu, japonais, islandais, serbo-croate... Et la carrière de ses héros se poursuit au cinéma (voir pp. 234 et suiv.).

LIVRE DE MÉMOIRE

ÉLOGE DE LA TRADITION

Tolkien, linguiste et spécialiste de la littérature médiévale, connaît familièrement l'univers des épopées et des chansons de geste. Dans son roman, la transmission orale joue le même rôle que dans cette ancienne littérature.

Devant un petit feu de camp ou dans la vaste salle d'un manoir, les soirées s'animent de récits et de chansons. Dès que des personnages, séparés par le cours de leurs aventures personnelles, se retrouvent, ils s'empressent de récapituler pour les autres les événements qu'ils viennent de vivre : en Isengard, Merry et Pippin racontent à leurs compagnons les surprises de Fangorn ; quand Gandalf surgit inopinément dans les prairies de Rohan, il doit expliquer par quel miracle il a pu échapper au Balrog. Il s'agit de rendre vraisemblables les diverses péripéties, de faire circuler les informations. Le lecteur peut ainsi connaître, en même temps que les héros, des épisodes auxquels il n'a pas assisté directement, comme le face-à-face de Gandalf et de Saroumane sur la tour d'Orthanc. Ainsi les récits rapportés assurent la continuité de l'histoire.

De façon plus originale, la parole insère tout le roman dans une histoire bien plus vaste. Les individus ont un passé et les dangers ne datent pas d'hier : Bilbon résume son expédition et la découverte de l'Anneau, Gandalf décrit son exploration de Barad-Dûr, Aragorn évoque ses missions à travers la Terre du Milieu. Les familles s'inscrivent dans une lignée qui légitime leur pouvoir et leur impose des devoirs : Théoden rappelle les exploits d'Eorl et part au combat pour se montrer digne de son ancêtre, Aragorn revendique l'héritage d'Isildur. Lors de son couronnement, il prononce la phrase même de son lointain aïeul Elendil débarquant en Endor : *Et Eärello Endorenna utúlien. Sinoma maruvan ar Hildinyar tenn' Ambar-metta*[1] (« De la Grande Mer en Terre du Milieu, je suis venu. En ce lieu, je me fixerai, moi et mes héritiers, jusqu'à la fin du monde »). La quête de l'Anneau en fait ne prend sens que replacée dans l'Histoire universelle. Ceux qui savent, Galadriel ou Elrond, Sylvebarbe ou Faramir, expliquent aux plus candides les bouleversements que la Terre a connus. Le grand cataclysme du 2e Âge, l'engloutissement de Númenor, revient à plusieurs reprises parce qu'il manifeste la perfidie de Sauron et l'aveuglement des Hommes. Les Elfes parfois rêvent de la lointaine terre des dieux, paradis des origines.

Le passé n'a pas cessé de vivre, et les hommes courent à leur perte s'ils se mettent à l'oublier. Le roi Théoden en prend conscience lorsqu'il critique ainsi cette perte de

1. T. 3, VI, p. 336.

mémoire[1] : « Longtemps, nous avons soigné nos bêtes et nos champs, bâti nos maisons, forgé nos outils ou chevauché au loin pour participer aux guerres de Minas Tirith. Et c'est ce que nous appelions la vie des Hommes, le train du monde. Nous ne nous préoccupions guère de ce qui se trouvait au-delà des frontières de notre pays. Nous avons des chansons qui parlent de ces choses, mais nous les oublions et nous ne les enseignons aux enfants que par une vague habitude. »

D'autrefois viennent les exemples à imiter. Des couplets rappellent ces modèles héroïques. Aragorn et Arwen se savent les héritiers de Beren et de Lúthien : leurs amours reproduisent la passion qui jadis a uni l'Homme et la princesse elfe ; comme celle-ci, Arwen renonce à son immortalité pour vivre avec l'homme qu'elle aime. Aragorn refonde les royaumes naguère créés par Elendil, il rassemble les Humains après les terribles guerres contre Sauron comme Elendil a sauvé les Fidèles quand Sauron a causé la perte de Númenor. Certains peuples comme celui de Rohan ont gardé les archaïques valeurs qui faisaient la beauté des vies du passé : loyauté, générosité et courage. Dès leur apparition dans le roman, tous sont frappés par leur éclat si particulier. Un « air elfique » distingue encore parmi les autres Imrahil et Faramir, lointains descendants des Elfes, qui restent fidèles à l'esprit de ce peuple ancien.

Car les êtres qui s'enracinent dans le Temps et survivent depuis le lointain des âges, ont une beauté et une grandeur à part. La sagesse d'Elrond, le prince elfe, dont la mémoire remonte aux Jours Anciens du monde, atteint d'insondables profondeurs. Dans le regard d'Arwen, « se révélaient la pensée et le savoir de quelqu'un qui a connu maintes choses qu'apportent les années ». Le nom même de Sylvebarbe, son « vrai » nom, est aussi long que son histoire, il résume tout le passé de la terre comme son

1. T. 2, III, p. 203.

193

interminable cantique contient toutes les créatures du monde. Son aspect fascine les jeunes Hobbits : « On aurait dit qu'il y avait derrière ses yeux un énorme puits rempli de siècles de souvenirs et d'une longue, lente et solide réflexion ; mais la surface scintillait du présent [1]. » Vraiment la mémoire est dans le roman de Tolkien la source de toute connaissance et de toute sagesse : elle s'entretient comme le Feu dans la grand-salle du manoir d'Elrond. Dans le temple de Vesta à Rome, la flamme représentait la vie et la permanence de la cité, le souvenir de l'histoire manifeste ici la pérennité de la Création. Et l'immensité de la durée rappelle les humains à une saine humilité [2] : « Pour eux [les Ents], vous n'êtes que l'histoire passagère ; toutes les années écoulées depuis Eorl le Jeune jusqu'à Théoden le Vieux ne représentent pas grand-chose pour eux ; et tous les exploits de votre maison ne sont que broutilles. » Prendre conscience de la relativité, c'est un premier pas vers la sagesse...

Le roi Théoden s'étonne de voir les Hobbits ou le Roi dont parlent les vieilles chansons. Il a l'impression de vivre d'étranges temps où les légendes s'incarnent, où on les peut rencontrer sur les chemins du quotidien. Dans sa candeur, ne figure-t-il pas le lecteur qu'émerveille le roman de Tolkien ? La légende se crée par le chant : quand le vieux Roi meurt au combat, son ménestrel attitré compose une dernière œuvre pour louer la vaillance de son maître. Devant nos yeux, l'homme avec ses faiblesses et sa grandeur se mue en héros de l'épopée. Tolkien ne s'est-il pas représenté dans ce poète ? Le rôle qu'il s'est fixé en écrivant ce roman, c'est de revivifier les contes qu'il a lus, de faire naître par une ingénieuse compilation une mythologie anglaise. Nostalgie d'un

1. T. 2, III, p. 82.
2. Remarque adressée par Gandalf à Théoden, t. 2, III, pp. 202-203.

monde enfui ? Adieu où la grâce s'allie à la tristesse ? Comme Galadriel, l'auteur se résigne à ce que le merveilleux soit effacé du monde concret ; avec Gandalf (t. 2, III, p. 203), il soupire : « Nous sommes condamnés à ces temps » et pourrait ajouter : et si nous nous consolions en écoutant des contes ? Ils relient les hommes en leur disant quelque vérité bonne à savoir.

AUX SOURCES DE L'ŒUVRE

Tolkien est le premier à appliquer la morale qui parcourt son récit. Il se souvient de toutes les histoires fabuleuses qu'il goûte depuis son enfance, il les débarrasse de leurs étiquettes, de tous les détails qui les rattachent trop exclusivement à leur culture, grecque, germanique ou nordique, puis il en entrecroise les thèmes pour former son propre tissage, sa mythologie parallèle. Le lecteur lit sans peine le roman parce qu'il accepte sans discuter cet univers singulier ; il se perdra sans doute davantage s'il cherche à identifier la provenance de tel ou tel fil. Nous nous contenterons donc de citer quelques « emprunts ».

De Perse, vient l'opposition fondamentale qui organise le récit. La religion manichéenne, dualiste, oppose un Dieu bon, Mazda, dieu de lumière qui a conçu un monde uni et un, à un Dieu noir, Ariman, qui y a introduit le mal, la division et la nuit. De même les dieux du *Silmarillion* veulent un univers harmonieux et séjournent dans la lumière d'Aman. Les Elfes qui vénèrent toujours spécialement Varda, déesse des étoiles, qu'ils évoquent sous l'épithète d'Elbereth, appartiennent à ce versant clair. Morgoth dans *Le Silmarillion* et Sauron dans *Le Seigneur des Anneaux* incarnent les forces de l'Obscur. Et les Servants de Sauron, les Nazgûl, portent la livrée noire de leur maître.

En Grèce ou en Orient, prend naissance la symbolique des âges : l'univers et l'humanité, après l'âge d'or, connaissent un âge d'argent, un âge de bronze, un âge de fer. La dégradation des choses et des êtres mène alors à des cataclysmes (déluge d'eau, torrents de feu, séismes) qui permettent une régénération. En Grèce aussi, les arbres peuvent être dotés de vie, qu'ils abritent d'anciennes divinités comme les Dryades, ou soient issus de la métamorphose d'humains châtiés ou récompensés.

Mais l'imaginaire de Tolkien se nourrit davantage aux rives de l'Atlantique ou de la Baltique qu'à celles de la Méditerranée, aux eaux du Rhin qu'à celles du Tigre ! Comme l'Arthur du cycle de la Table Ronde arrache Excalibur, l'épée de son père, au rocher qui l'enserrait, Aragorn brandit Narsil, l'épée brisée de ses ancêtres reforgée pour lui. Comme Brunhilde et les Walkyries, ses sœurs, Eowyn de Rohan veut être une vierge guerrière, fière et indomptable. Parmi les neuf mondes de la mythologie nordique, l'un accueille les Elfes de Clarté, un autre les Elfes de l'Obscurité, un troisième, souterrain, les Nains qui habitent des cavernes et exploitent des mines, tandis que les dieux habitent Asgard, que seul l'arc-en-ciel relie aux autres mondes. Un monde est peuplé par les Géants du Feu, modèles peut-être des Balrogs ; le monde sombre et brumeux des morts, froid et inhospitalier, ressemble assez au Mordor. Mêmes résonances dans la conception du destin de l'univers : les conflits et les cataclysmes conduiront à une apocalypse, mais celle-ci permettra la renaissance d'un monde meilleur.

Il suffit de revenir sur les origines de l'Anneau [1] pour constater comment les diverses sources confluent et permettent à Tolkien de fondre toutes ces légendes dans sa réécriture. La quête de l'Anneau est, dans bien des cultures, chargée de symboles. D. Day cite au début de son ouvrage un rite chamanique d'Asie Centrale : le sorcier

1. David D. Day consacre un ouvrage entier à ce recensement (éd. fr. Christian Bourgois, 1996 ; éd. orig. Harper&Collins, 1994).

pose un anneau sur la peau d'un tambour où est dessinée la carte du monde humain et du monde spirituel. Il frappe le rebord du tambour et il se met à chanter en interprétant les déplacements de l'anneau, représentation du voyage de l'âme vers l'au-delà. Frodon lui aussi va passer dans l'autre monde avec l'anneau magique et y gagne un salut spirituel.

Bien des traditions lient anneau et pouvoir : il suffit de songer aux noces du doge de Venise avec la mer, source de la richesse de la ville ; le doge jette solennellement tous les ans son anneau dans l'Adriatique. Pouvoir souvent occulte : lors de son procès, les juges accusèrent Jeanne d'Arc d'utiliser des anneaux magiques pour contrôler l'esprit du roi Charles. L'anneau des alchimistes, en forme de serpent qui se mord la queue, rappelle la recherche des connaissances interdites. Si l'anneau apparaît souvent dans les histoires de sorcellerie, c'est sans doute que l'anneau symbolisait un attachement au paganisme alors que la croix manifestait le choix du Christ. L'Église bien sûr récupère ce signe païen ; il est intéressant de noter que la croix celtique associe la croix chrétienne et l'anneau païen.

De nombreux indices rapprochent la mythologie de Tolkien des croyances scandinaves : le monde des mortels s'y appelle *Midgard*, Terre centrale... ou Terre du Milieu ; l'anneau, cercle fermé, y symbolise le cycle du destin ; l'anneau d'or, signe de royauté, est enterré avec son possesseur s'il ne trouve pas d'héritier digne de sa renommée. Mais c'est la légende d'Odin qui offre les parallèles les plus frappants. Ce dieu viking est surnommé le « dieu de l'Anneau » ; si l'on ajoute qu'il était borgne, on voit comment il est devenu Sauron, Seigneur de l'Anneau, dont l'être physique se réduit à un Œil unique. Odin déguisé en vieillard, vêtu d'un manteau gris, coiffé d'un chapeau à larges bords et appuyé sur un bâton (modèle de Gandalf ?), a dû voyager à travers les neuf

Mondes à la recherche de l'anneau Draupnir, garant du pouvoir. Dans son errance, il apprend le langage des animaux (don du Mage Radagast chez Tolkien), il domine les corbeaux et les loups (comme Sauron), il monte un cheval plus rapide que le vent (le Gripoil de Gandalf ?). Odin, dieu protéiforme, aussi bien sorcier que roi, poète qu'escroc, semble avoir inspiré effectivement et Sauron et Gandalf : Tolkien a simplement distingué les aspects moraux et immoraux confondus dans le dieu nordique. Assis sur son trône, Odin voit les moindres recoins de l'univers ; Sauron manifeste une véritable obsession de tout voir, et Frodon vit une étrange expérience sur le Siège de la Vue, à Amon Hen (« la colline de l'œil ») lorsque son regard embrasse toutes les régions du Mordor à la Mer. Mais la fin de la quête d'Odin le différencie nettement de Sauron : son anneau de pouvoir lui procure toutes les richesses ; en particulier il produit tous les neuf jours huit anneaux qu'Odin offre aux héros et aux rois des huit mondes qu'il veut honorer. L'anneau est là source d'ordre et de paix tandis que chez Tolkien il est malfaisant et dangereux.

La saga islandaise du héros Sigurd et des Nains Nibelung présente aussi bien des similitudes avec les vicissitudes de l'Anneau de Sauron. Fafnir qui, dans la saga, s'est emparé de l'anneau en tuant son propre père, est déformé par cette possession : la haine et la cupidité ont empoisonné son esprit ; son apparence est devenue semblable à son intérieur perverti, il s'est mué en monstrueux dragon. Sous une forme moins éclatante, on reconnaît le crime et la métamorphose de Gollum, rongé par la passion de l'Anneau. Le héros Sigurd, protégé d'Odin, reforge l'épée brisée de son père et part à la recherche du dragon ; il arrive dans ce qui était jadis la Lande Scintillante ; brûlée par le souffle du dragon, ce n'est plus qu'une terre dévastée, que borde une forêt sinistre... Le Mordor et la Forêt Noire sont inspirés de ces contrées.

On a déjà noté combien Arthur et Merlin s'apparentent à Aragorn et Gandalf. La « conclusion douce-amère de l'œuvre » (selon la formule de D. Day) se calque sur le récit de la mort du roi Arthur. Frappé d'une blessure fatale, Arthur est emmené par un vaisseau-fée vers l'ouest en Avalon ; et peut-être en reviendra-t-il un jour guéri. Or chez Tolkien, c'est Frodon le Hobbit qui part au pays des immortels, ce qui nous rappelle une fois de plus que le vrai héros n'est pas le roi mais l'humble Hobbit ! D'autres personnages celtes comme les Elfes sont arrivés en Terre du Milieu. Les légendes évoquent des Dames Blanches, fées parfois éprises de simples mortels. Galadriel est Dame de lumière, Arwen et Lúthien ont la peau blanche comme la neige, ou l'étoile d'argent de la fleur Niphredil, et épousent des humains.

Tolkien lui-même nous apprend qu'il a conçu le langage des Elfes, le sindarin, et les différents noms elfiques, sur le modèle du gallois. Quant au *westron* (ouestrain), il emploie des mots de vieil anglais : *ent*, « géant », *orc*, « gobelin », *meara*, « cheval » ou *hobbit*, « creuseur de trou »... *Beowulf,* épopée du VIIIe siècle, est une tentative des Anglo-Saxons pour rivaliser avec les cycles héroïques teutoniques... en réécrivant par exemple les aventures de Sigurd et de l'Anneau. Tolkien, professeur d'anglo-saxon et autorité reconnue sur *Beowulf,* s'efforce de recomposer les vieilles légendes en une mythologie anglaise. Il pousse même le défi jusqu'à vouloir surpasser la gloire nationale, Shakespeare. Tolkien a toujours trouvé insatisfaisante la façon dont se réalisent les prophéties des sorcières dans *Macbeth* : les soldats camouflés qui avancent pour figurer la forêt en marche, le fils né par césarienne comme « homme non né d'une femme ». Trop plat, vraiment décevant, disait-il. Aussi les Ents et les Huorns sont-ils réellement des arbres vivants, venus du fond des âges, et leur marche victorieuse prend une force cosmique. Le Roi-Sorcier n'est effectivement pas abattu par un Homme mais par une jeune guerrière associée à un Semi-Homme.

Mais cessons cette enquête que Tolkien aurait formellement désapprouvée ! Il explique dans *Du conte de fées* qu'il est vain d'étudier les os pour reconstituer le bœuf qui a servi à faire le bouillon, et qu'il vaut mieux vider son bol.

II – LES RAISONS D'UN SUCCÈS

L'ART DE L'ENTRELACS

Dessin à la plume
de Tolkien : dragon enroulé

Lettre ornée d'une Bible
du IXe siècle

Tolkien, comme médiéviste et comme dessinateur, apprécie les enluminures des vieux manuscrits et se plaît à en reproduire les entrelacs décoratifs, qui utilisent des motifs géométriques, végétaux ou animaliers. Dans son écriture, il trace aussi des volutes en composant des récits en boucle, en reprenant des leitmotive, en mêlant des couleurs et des tonalités contrastées.

Le récit superpose des époques différentes, il juxtapose aussi des actions simultanées. Le déroulement linéaire de l'histoire peut être interrompu par de longs retours en arrière : les fenêtres ainsi ouvertes sur le passé font voir toute une préhistoire de la Terre, visions partielles que le lecteur relie à la manière d'un puzzle. Comme dans les romans de chevalerie où le récit suit tour à tour chacun des chevaliers engagés dans la quête,

201

le roman fait partir tous les héros ensemble d'un seul lieu, Fondcombe, puis sépare leurs chemins dès le livre III. Certains livres se consacrent à Frodon et à Sam, d'autres semblent les oublier complètement. En fait quelques nouvelles passent d'un cycle à l'autre, la pensée des compagnons se dirige vers les amis éloignés et, de façon mystérieuse, ceux-ci en prennent conscience et en tirent réconfort. Surtout, le lecteur attentif remarquera des indices, une brève notation météorologique souvent (un jour sans lumière, un vent qui se lève), présents dans deux aventures différentes et qui rappellent leur parallélisme. Ce procédé de « conjointure [1] » concentre l'attention sur un groupe de personnages dont on suit l'évolution sans être distrait, il fait comprendre la profonde nécessité qui lie les diverses aventures, il ménage également des suspenses insoutenables !

Le roman de Tolkien recourt ainsi aux techniques du roman-feuilleton. Information distillée : les Nazgûl [2] ne sont d'abord qu'objet de rumeurs, puis les héros entendent des sifflements et des souffles bizarres, ils décrivent leur malaise inexplicable, ils perçoivent plus tard des silhouettes, enfin vient l'heure de l'affrontement physique. À suivre frustrant : Gripoil s'enfonce dans la nuit à la fin du livre III et n'en ressort qu'au livre V ; les Orques referment des portes d'airain sur Frodon à la fin du livre IV et Sam n'entre dans la tour qu'au livre VI ; Pippin entend que les Aigles arrivent sur le champ de bataille mais le lecteur attend quatre-vingts pages pour les voir arriver ! Coups de théâtre renversants : Gandalf ressuscite, Frodon survit à la piqûre de l'Araignée... Coïncidences improbables. Scènes de terreur : la lutte contre

---

1. Vincent Ferré (*op. cit.*) met en évidence l'utilisation de cette technique du roman médiéval chez Tolkien.
2. Même technique pour présenter Saroumane ou Gollum : l'aura de mystère accroît les inquiétudes.

Arachne, la marche dans les souterrains ou le monstre aquatique qui guette à l'entrée de la Moria.

Ces moments d'angoisse sont habilement mis en valeur par l'alternance de moments de tension et de détente. Des créatures inhumaines comme les Orques qui violent le vieux tabou de l'anthropophagie et qui respirent la violence brute, côtoient les sympathiques Hobbits familièrement qualifiés de « mous comme beurre et durs comme de vieilles souches ». On passe du roman *gore* à la farce populaire. Sam introduit une note burlesque dans le destin tragique de Frodon. La double nature de l'œuvre : épopée collective et geste héroïque d'individus solitaires, permet de passer des batailles à grand spectacle [1] aux luttes intimes du combat contre soi-même. Le lecteur entre aussi bien dans le trou du Hobbit que dans les salles du trône ou dans les nécropoles royales, il assiste aux dînettes familiales comme aux cérémonies solennelles, avec tambours et trompettes. Le réalisme n'exclut pas le fabuleux et le mystère, magie noire du Mordor, magie blanche des Elfes. Plus rares, de brefs frissons romantiques : amour courtois de Gimli pour la Dame Galadriel, geste ému d'Eowyn tendant une coupe à Aragorn, scène d'amour (chaste) au jardin dans la douce clarté lunaire (Arwen et Aragorn) ou dans l'éclat solaire (Faramir et Eowyn). De la miniature à la fresque, le roman s'intéresse à toutes sortes de tableaux, comme les petites personnes qui sortent de leur petit monde clos pour courir les routes du vaste monde et participer à l'Histoire universelle. Contre toute attente !

Pourtant, si les moments d'humour ne manquent pas, le lecteur est surtout habité comme les personnages d'une inquiétude constante (ou presque). La menace de l'Anneau est sans cesse rappelée par les souffrances de Frodon, les peurs de Gandalf ; l'Ombre qui avance sur la terre en apparaît comme la métonymie et cette montée

1. Comme dans le chapitre « La Porte Noire s'ouvre » (V, x).

de la nuit accentue l'urgence. Très tôt dans le roman, la lueur rouge au loin du volcan Orodruin fixe à Frodon son but. Non pas une fatalité mais un Destin.

« Vraiment, dit Gandalf d'une voix à présent forte et claire, notre espoir se trouve là où réside notre plus grande peur. Le destin est encore suspendu à un fil [1]. »

LEÇONS DE VIE

Tolkien pratique peu l'analyse psychologique. On devine sur le visage de certains personnages comme Gandalf ou Aragorn, qu'un trouble secret les tourmente mais l'on n'entre pas dans le secret de leurs pensées. Pas de confidences sur la passion qui détruit Eowyn, ses proches savent ce qu'elle ressent sans avoir besoin de longs discours. Comme s'il éprouvait une répugnance pour les subtilités de l'investigation intime, le romancier décrit des gestes, des réactions, ou rapporte des échanges ; il ne dissèque pas les motivations et les conflits : ceux-ci se traduisent directement en actes.

Quelques rares aperçus seulement sur des ressorts plus complexes : sans se livrer à une psychanalyse galvaudée, on peut noter qu'ils concernent des relations familiales. Faramir est victime de son père : il recherche son estime et son amour dont il est plus que digne et souffre que Denethor lui préfère son frère aîné dont la robuste spontanéité est pourtant bien plus éloignée de l'intelligence aiguë du père. Boromir, d'une certaine façon, jalouse la finesse et la profondeur de réflexion de son cadet et cherche à l'évincer, à lui confisquer des possibilités d'exploits, comme si derrière sa façade d'homme fort, se dissimulait une fragilité intime, un manque de confiance

1. T. 2, III, p. 157.

en soi. Le thème de la recherche du Père, d'un père [1] parcourt souterrainement toute l'œuvre : Gandalf joue plus ou moins ce rôle de figure paternelle pour Bilbon, Frodon ou Faramir ; Elrond, à la fois lointain et présent, conseille et protège ; Merry trouve en Théoden une figure paternelle à révérer et à suivre ; l'Ent Sylvebarbe nourrit et instruit les deux jeunes Hobbits afin de les faire grandir en force et en sagesse !

Mais Tolkien préfère sans conteste la morale à la psychologie, il défend avec vigueur les valeurs qui lui sont chères en les illustrant par des images fortes.

LE MAL COURT

Image forte ne signifie pas manichéisme sommaire, un reproche que les critiques ont souvent adressé à Tolkien. Il choisit certes la simplicité des lignes par souci d'efficacité romanesque ; il marque des oppositions tranchées (ce qui justifie les tableaux antithétiques de notre première partie...) parce que, pour lui, le récit doit s'approcher le plus possible des mythes anciens, retrouver quelque chose de ce qui, en eux, frappait les imaginations et renvoie encore à des préoccupations fondamentales. Mais nul n'est entièrement et définitivement voué au Bien ni condamné au Mal. Toutes les histoires révèlent la fragilité des êtres. La première leçon est sans doute celle-là. Les créatures sont libres et un instant de défaillance ou de vertu suffit à tout faire basculer. Galadriel avoue qu'à une autre époque, elle a failli céder à la tentation. Il s'en faut d'une seconde pour que Frodon ne tue Sam. Gollum figure par son dédoublement cette dualité incertaine, il vacille sans cesse entre une sorte d'affection pour Frodon qu'il aide, et sa cupidité qui le pousse au meurtre sournois, entre sa bonne nature de Sméagol le

1. Manque intime d'un fils si tôt orphelin ?

Hobbit et les pulsions sauvages de Gollum, la larve sinistre qu'il est devenu.

Le premier piège pour l'être humain est l'orgueil. Celui qui se croit supérieur est promis à la chute. Tolkien reprend là l'avertissement majeur de la tragédie grecque : l'homme doit éviter la démesure, l'hybris, et se contenter de la place qui lui a été donnée dans l'ordre de la création. Denethor et Saroumane en offrent deux exemples douloureux. Ils se croient assez intelligents pour viser l'omniscience et ils se servent des pierres de vision, les palantiri, pour explorer le monde. Or en ambitionnant la lucidité infaillible, ils tombent dans l'aveuglement le plus obtus. Denethor ne sait pas reconnaître la valeur de son propre fils, qui éclate aux yeux de tous. L'Intendant et le Mage deviennent incapables de se comprendre eux-mêmes et ne soupçonnent même pas la dépendance dans laquelle ils ont sombré. Seuls ceux qui regardent dans les miroirs en pensant à autrui et non à eux-mêmes, Aragorn ou Frodon, ou ceux qui ont la candeur de l'enfance, comme Pippin, sont épargnés.

Le deuxième piège est la démission. Il est si facile de se laisser aller : Théoden se laisse persuader qu'il est vieux et faible, qu'il n'a qu'à défendre ses acquis sans se soucier des dangers d'autrui. Les Hobbits ferment leurs oreilles aux bruits fâcheux du monde. Les Ents se résignent à la dégradation fatale d'Arda. Un sursaut d'énergie balaiera cette indifférence. Car il est aussi dangereux de s'abstenir que de choisir le Mal.

Le Mal, dit le récit, gagne du terrain parce qu'il est attirant. La langue de Saroumane détourne les volontés par la flatterie. Sauron a perdu depuis la fin du 2e Âge la séduction physique qui le caractérisait mais, intellectuellement ou spirituellement, il a gardé sa force de persuasion. Comment se passent les face-à-face avec les pierres de vision ? Tolkien préserve l'énigme. Mais l'on devine par des allusions que Sauron dépiste les faiblesses cachées de ces interlocuteurs et les utilise pour les pervertir. Les Anneaux montrent bien que le Mal est tapi en chacun. Les Rois ont succombé à la tentation du pouvoir suprême et sont devenus les Servants de Sauron. L'Anneau Unique exerce sur tous les esprits une fascination presque irrésistible. Tolkien a choisi dans les vieilles légendes un symbole particulièrement frappant[1]. L'Anneau rend invisible parce que le mal agit sournoisement, parce que beaucoup ne sont retenus sur la mauvaise pente que par la peur du jugement d'autrui ou celle du châtiment et que l'impunité lèverait leurs inhibitions. L'Anneau prolonge la vie et préserve la jeunesse de celui qui le porte parce que tout homme rêve d'une fontaine de jouvence, voire de l'immortalité. L'Anneau est véritablement une pierre de touche qui éprouve la qualité des êtres. Gandalf et Galadriel sont tentés mais se défient assez d'eux-mêmes pour en refuser la possession. Face à Frodon qu'ils peuvent capturer, Boromir cède au désir de pouvoir et attaque, Faramir devine le sens de la mission et protège. Le désir de possession et de puissance existe en chacun et la corruption de l'âme est inévitable si une force spirituelle ne permet pas de la combattre. Frodon est l'emblème de cet effort déchirant.

Seul Tom Bombadil, parce qu'il tient du divin ou d'une nature primordiale, échappe complètement à ce conflit intérieur parce que la notion même de pouvoir n'a pour lui aucune signification : « Il est le maître en un sens particulier : il n'éprouve pas du tout la peur, ni le désir de posséder ou de dominer. Il sait et comprend à peine ces choses. [Il représente] l'esprit qui désire la connaissance des autres choses, de leur histoire et de leur

1. L'opinion de Tolkien sur l'utilisation du pouvoir est exprimée dans l'une de ses lettres : « *L'Anneau de Sauron est seulement l'un des nombreux thèmes mythiques sur l'extériorisation de sa vie, ou de son pouvoir, dans un objet, qui est ainsi exposé à la capture ou à la destruction, avec des résultats désastreux pour soi-même.* »

nature [...] et ne se sent pas du tout concerné par l'utilisation du savoir[1] ».

LES FORCES DE SALUT

Dans le conte merveilleux, la fée marraine ou le bon magicien protègent le jeune héros. Dans le monde de Faërie, quelques anges gardiens veillent sur le chevalier errant ou sur le Hobbit aventureux : l'Elfe Elrond ou le Mage Gandalf, mériteraient l'épithète de « Vigilants », toujours soucieux, toujours en éveil. Ils conseillent et avertissent. Merry voyage en sécurité enveloppé dans le vaste manteau de Gandalf. Tom Bombadil à deux reprises sauve la vie des voyageurs imprudents. Galadriel surtout fait rayonner sa lumière jusque dans les plus épaisses ténèbres du Mordor. Les objets magiques qu'elle offre aux Compagnons les sauveront tous à un moment de leurs pérégrinations. Mais si on regarde mieux comment cette magie blanche agit, on comprend que le secours ne vient pas d'êtres surnaturels mais se trouve en soi. Il faut l'astuce de Pippin pour penser à détacher la broche elfique comme signe de reconnaissance. L'intensité de l'éclat émis par le cristal de Galadriel dépend de la foi des compagnons : l'objet magique ne remplace pas la volonté, il la renforce. Les ressources sont avant tout dans l'homme. L'athelas, « herbe des rois », n'a de pouvoir guérisseur que s'il est préparé par celui qui détient la force de l'esprit. On ne voit dans le miroir de Galadriel que ce que l'on a la volonté de voir : le sort de la Comté pour Sam, l'avenir de sa mission pour Frodon.

Le Seigneur des Anneaux chante aussi bien les louanges du groupe que celles de l'individu ; il faut conjuguer les vertus solidaires et les vertus solitaires. Il existe des

1. Commentaire adressé par Tolkien à un de ses amis dans une lettre.

modèles de société : le royaume de Rohan est régi par un système féodal, très hiérarchisé. Le Roi est respecté et obéi de ses sujets, les neveux se soumettent au chef de famille et les femmes (plus ou moins volontiers...) aux hommes, une affectueuse estime lie souverain et lieutenants, chaque service est reconnu par des honneurs et la gratitude du peuple. Dans la bataille, les Cavaliers s'élancent comme un seul homme, unis dans une seule volonté, derrière leur chef, Eomer. Cette harmonie ne peut naître que d'un choix libre : les Orques en sont une démonstration par l'absurde. Ils sont soumis à Sauron et lui obéissent dans la terreur ; mais ils ne constituent pas un groupe, ils se détruisent en querelles intestines, ils ne voient que leurs intérêts personnels sans aucune notion de ce qu'est une communauté. Dès que Sauron est atteint, leur fausse union disparaît tandis que les Cavaliers, à la mort de Théoden, se regroupent autour d'Eomer. Les relations sont transparentes, sans arrière-pensées : une parfaite loyauté soude le vassal et le suzerain, les frères d'armes.

Les vrais chefs exercent une autorité charismatique [1], la légitimité d'Aragorn s'impose sans discussion : il déploie son étendard et tous s'y rallient. Il règne par l'esprit et reconnaît la prééminence du spirituel comme le montre le majestueux face-à-face de Gandalf et d'Aragorn [2].

« La figure grise de l'Homme, Aragorn fils d'Arathorn, était haute et rigide comme la pierre, la main posée sur la poignée de son épée ; on eût dit qu'un roi sorti des brumes de la mer avait posé le pied sur les rivages des hommes moindres. Devant lui s'inclinait la vieille forme blanche, brillante à présent comme d'une lumière inté-

1. Ils allient pouvoir temporel et pouvoir spirituel comme les rois-prêtres de la première fonction de Dumézil.
2. T. 2, III, p. 134.

rieure, courbée, chargée d'ans, mais détenant un pouvoir hors d'atteinte de la force des rois. »

L'œuvre exalte particulièrement les beautés de l'amitié. Dans sa vie privée, Tolkien était très attaché à son cercle d'amis et a su garder des liens fidèles de l'adolescence à la vieillesse. Il croit donc à la force de ces camaraderies masculines. Les jeunes Hobbits se refusent à abandonner Frodon, le Conseil d'Elrond envoie sur les routes une Communauté, la Compagnie grise suit malgré sa peur Aragorn sur le Chemin des Morts, Merry et Pippin enlevés par les Orques se délivrent grâce à leur entente et, séparés, ne cessent de se soucier l'un de l'autre. L'amitié naît d'une rencontre chaque fois étonnante avec une moitié, un alter ego : Aragorn et Eomer se reconnaissent comme pairs au premier coup d'œil, Gimli et Legolas, que tout oppose, se découvrent une indispensable complémentarité. L'ami respecte l'autre dans sa différence. L'amitié peut atteindre le sublime et élever l'individu jusqu'à une forme de sainteté. C'est là l'héroïsme particulier de Sam. Le dernier livre fait de ce brave petit gars de la campagne, au bon sens jovial et aux formules directes, un personnage extraordinaire. Il s'oublie complètement pour veiller sur son maître, se privant de nourriture et de sommeil. Pas franchement téméraire, il n'hésite pas à affronter l'Araignée monstrueuse et des hordes d'Orques. Deux scènes impressionnantes : le combat contre Arachne, et la montée de l'Orodruin où, Saint Christophe laïque, il porte Frodon dans ses bras jusqu'au sommet. Grâce à l'amour qu'il voue à Frodon, il peut résister aux tentations de l'Anneau. Tout le livre prouve que le monde reste humain par la force des sentiments qui lient les êtres[1].

---

1. Moment émouvant par exemple où Frodon dit simplement sa tendresse pour Gandalf disparu, au t. 1, II, p. 477.

Enfin *Le Seigneur des Anneaux* a séduit les lecteurs par son optimisme humaniste. Les héros ne sont pas des êtres à part. Quand le roman décrit la vie des Hobbits dans la Comté, ceux-ci ressemblent fortement à l'Anglais moyen, un peu pantouflard, assez conservateur, plutôt chauvin, un tantinet xénophobe. Or ces personnages communs vont devenir des individus exceptionnels, les situations extrêmes vont révéler en eux des ressources insoupçonnées. Leçon de confiance nº 1 : il y a toujours en soi plus qu'on ne croit ! Leçon nº 2 qui semble l'antithèse de la première : seuls ceux qui doutent sont grands.

Frodon n'avait pas programmé l'aventure dans laquelle Gandalf l'engage mais il choisit de dire oui. Sans doute le Destin fait un signe, mais l'on se forge sa destinée, on peut construire sa vie : c'est de sa propre initiative cette fois que Frodon s'avance au conseil d'Elrond pour dire « J'irai, je serai celui-là ». Sa détermination ne cesse de grandir à mesure qu'il comprend mieux sa mission. Il assume le poids de ses responsabilités. Quand ses forces physiques sont épuisées, il avance encore par la seule volonté. Les souffrances l'épurent ; Gandalf, lorsqu'il le contemple convalescent à Fondcombe, remarque que sa main semble transparente et prédit sa métamorphose : « Il n'en a pas encore à moitié terminé et à quoi il parviendra en fin de compte, nul ne saurait le prédire, pas même Elrond. Il pourrait devenir comme un miroir empli de claire lumière pour les yeux capables de voir. » Dans le martyre que représente la traversée du Mordor, Frodon prend une dimension presque christique, Sam le voit parfois rayonner d'une lumière intérieure. Le héros est allé si loin dans les épreuves qu'il garde des stigmates indélébiles et ne peut plus revenir dans le monde ordinaire : version blanche de Sauron, il perd comme lui un doigt et se désincarne. Il appartient désormais au sacré. Grand initié, il a connu la Mort pour parvenir à la Vie supérieure de l'au-delà.

C'est évidemment l'expérience ultime que celle de Frodon. Mais le parcours des autres personnages reproduit en mineur ce processus de métamorphose. Aragorn et Gandalf, pourtant déjà hommes de savoir et de pouvoir, gagnent encore en grandeur à travers les angoisses et les combats ; le roman décrit volontiers leurs transfigurations : Aragorn rejette sa cape et apparaît changé, Gandalf le Gris s'environne d'éclairs blancs. Merry et Pippin deviennent de valeureux combattants : ils ont rencontré la Nature qui leur a transmis son énergie vitale (chez les Ents de Fangorn) et ils ont expérimenté la mort, Merry contaminé par le Roi-Sorcier, Pippin empoisonné par un gigantesque Troll. Des mouvements mystiques new age ont acclamé *Le Seigneur des Anneaux* comme histoire du progrès de l'âme vers le salut.

Plus prosaïquement, le « trekking spirituel » des Compagnons apprend qu'il faut se guérir de ses préjugés en découvrant le vaste monde au lieu de croire aux rumeurs [1]. Les Ents de Fangorn ou la Dame de la Lórien ne sont dangereux que pour les mauvaises volontés. La diversité est belle, l'uniformité diabolique : aucun Ent ne ressemble aux autres alors que les Ourouks-Hais, produits de manipulations génétiques, n'ont pas de personnalité propre. Il faut s'engager, dit ce roman d'après-guerre, au lieu de se cantonner dans la neutralité et la marginalité car chacun est responsable du bonheur et de la paix du monde sur son petit bout de jardin. C'est ce que conclut Gandalf sans illusion excessive [2] :

> « Il existe d'autres maux qui peuvent venir ; car Sauron n'est lui-même qu'un serviteur ou un émissaire. Il ne nous appartient toutefois pas de rassembler toutes les marées du monde, mais de faire ce qui est en nous pour

1. L'opposition entre Boromir et Faramir est significative.
2. T. 3, V, p. 207.

le secours des années dans lesquelles nous sommes placés, déracinant le mal dans les champs que nous connaissons, de sorte que ceux qui vivront après nous puissent avoir une terre propre à cultiver. Ce n'est pas à nous de régler le temps qu'ils auront. »

Des certitudes simples et réconfortantes. Quand deux hommes de bonne volonté se rencontrent comme Frodon et Faramir, le dialogue s'établit spontanément, une communion se crée. Quand on entreprend, on persévère, et quand on persévère, on triomphe. Un bienfait n'est jamais perdu, Bilbon et Frodon seront finalement sauvés parce qu'ils ont eu pitié de la plus misérable des créatures, Gollum. Quand on a accompli ce que l'on devait même sans espoir de retour, le salut vient : à point nommé les Aigles surgissent pour arracher au volcan Frodon et Sam. Des millions de lecteurs ont assurément trouvé reposante cette assurance confiante dans les ressources de l'individu et dans un sens de la vie.

Sans que la religion apparaisse directement, hormis pour une brève prière à Henneth Annûn ou dans des hymnes des Elfes aux étoiles, une religiosité colore parfois le texte. Une gravité ? un sens du sacré ? un animisme ? En tout cas la morale de Tolkien s'inspire assez nettement des Béatitudes : heureux les humbles car le Royaume est à eux, heureux les doux car ils hériteront la terre, heureux les miséricordieux car ils obtiendront miséricorde, heureux les pacifiques car ils seront appelés fils de Dieu. Telle est finalement la sagesse de Sam ou celle de Faramir. Les deux personnages, l'un sur le mode réfléchi, l'autre avec une spontanéité comique, font entendre dans l'œuvre la voix de Tolkien, présent dans sa fable comme Hitchcock dans ses films.

Maximes de sagesse hobbit :

« Ton cœur le savait. Ne te fie pas à ta tête, Samsagace, ce n'est pas ce qu'il y a de meilleur en toi » (Sam, t. 2, IV, p. 469).

« Mieux vaut aimer d'abord ce qu'on est fait pour

aimer, je suppose ; il faut commencer quelque part et avoir des racines et la terre de la Comté est profonde. Il y a cependant des choses plus profondes et plus hautes ; et sans elles pas un ancien ne pourrait soigner son jardin en ce qu'il appelle paix, qu'il en ait entendu parler ou non. Je suis heureux de les connaître un peu. Mais je me demande pourquoi je dis cela » (Merry, livre V, p. 195).

« Le seul petit jardin d'un jardinier libre répondait à son besoin et à son dû, et non pas un jardin enflé aux dimensions d'un royaume ; il devait se servir de ses propres mains et non commander à celles des autres » (Sam, livre VI, p. 237).

« Fais appel à toute ta tête et à toutes tes connaissances personnelles, Sam ; puis utilise le don pour aider à ton travail et l'améliorer » (Frodon, livre VI, p. 416).

QUELQUES QUESTIONS GÊNANTES...

Comme bien des auteurs qui ont suscité des enthousiasmes, voire des fanatismes, Tolkien prête le flanc à certaines critiques. Attaqué pour ce qui a pu paraître moralisme abusif ou message exagérément positif, il a aussi été victime de ses lecteurs. *Le Seigneur des Anneaux* a servi de porte-drapeau à des associations new age, entre écologisme et mysticisme. Il permet de multiples jeux de rôles. On peut en déduire qu'il sollicite l'imagination et favorise les interprétations diverses, on n'en conclura pas qu'il prône en quelque manière l'obscurantisme, l'irrationnel, l'occultisme ! ni qu'il pervertit la jeunesse !

Il est sans doute plus gênant qu'il soit repris par des revues d'extrême droite. On voit bien ce qui provoque cette récupération. Les races de la Terre du Milieu obéissent à une hiérarchie évidente, de l'esprit angélique à la brute : les Elfes sont des êtres supérieurs proches des dieux, les Orques de sinistres brutes qui ne respectent même pas le tabou du cannibalisme. Les Hommes mêmes se distinguent par leur physique plus ou moins noble, par leurs vertus morales et par leur culture ; or ces différences sont liées à leur origine ethnique et géographique. En bas de l'échelle, les hommes de Rhûn et de Harad, hordes sauvages, violentes, bariolées, combattent dans les armées de Sauron. En haut de l'échelle, les Dúnedain, plus grands, gardent un peu de la supériorité des gens de Númenor, élus des dieux. Si on ajoute que les uns sont basanés et que les autres ont le teint clair... Galadriel ou Eowyn sont blondes et belles, les hommes de Harad petits et laids. Les Elfes chantent merveilleusement, les Orques grognent et hurlent.

Si l'on examine les sociétés, on constate que les héros ne sont pas des sauvageons. Pas de respect, pas d'organisation sociale chez les Orques. Mais un ordre social et politique impeccable et incontesté en Rohan. Les Hobbits sont à leur manière des patriotes, ou du moins ils sont fiers de leur coin de terre et croient à l'enracinement dans un lieu et dans des traditions.

Qu'en penser ? On sait que Tolkien était patriote et conservateur de conviction, que la xénophobie (et en particulier la francophobie !) ne lui était pas étrangère ! On se souviendra que si les dieux et les Elfes habitent à l'Ouest alors que Sauron s'est emparé du Sud et de l'Est, la situation historique entre 1914 et les années 50 peut expliquer ces localisations. Mais on se gardera d'imputer à Tolkien ce qui conditionne l'esprit de certains lecteurs. Aman est à l'ouest aussi parce que dans la mythologie arthurienne Avallon se situait quelque part dans l'Océan, comme les îles Bienheureuses des Anciens. L'imaginaire de Tolkien est beaucoup plus influencé par le mythe que par la politique, par le roman médiéval que par l'histoire contemporaine. On n'oubliera pas qu'on ne peut jauger la fiction à l'aune du documentaire : les Orques sont des monstres inventés et non des humains.

Tolkien ne veut pas abolir le présent pour retourner

dans le passé, mais il garde une nostalgie d'enfance et il rêve de paradis perdus.

VIGUEUR DES MYTHES

Même si les lecteurs ont pu être encouragés par la morale positive de l'œuvre, le succès de Tolkien s'explique surtout par la force de son imaginaire. Il sait créer des paysages qui stimulent la créativité du lecteur, ses histoires et ses descriptions trouvent un écho dans nos rêves et nos angoisses en renouant avec des mythes universels, archétypes de notre inconscient collectif. Sa fiction prend couleur d'archives, l'aventure des personnages s'inscrit dans une évolution universelle.

LE RÊVE DE L'ÂGE D'OR

Il était une fois un lieu paradisiaque où les plantes poussaient en liberté, où un climat tempéré agrémentait la vie, où les créatures vivaient en paix et en harmonie sous le regard des dieux / de Dieu. Telle est dans bien des mythes l'aurore de la Création. Et comme, par la faute des créatures, le paradis finit toujours par être perdu, il en devient un fantasme encore plus lancinant. L'Histoire selon Tolkien respecte le parcours mythique : les créatures ont perdu l'accès à Valinor, domaine des dieux ; puis les royaumes des Elfes, lumineux et poétiques, ont disparu l'un après l'autre, et ces êtres magiques ont presque déserté la Terre du Milieu.

Dans *Le Seigneur des Anneaux*, on respire encore en des lieux privilégiés ce parfum du paradis.

Tom Bombadil, malgré son apparence insouciante et sa familiarité simple, crée autour de lui la joie profonde

216

de temps primordiaux. Il passe son temps à chanter, car pour Tolkien comme pour Rousseau, le chant est l'expression même de la Nature, le langage premier qui atteint le cœur des choses et des gens. La musique est à l'origine du monde. Mieux qu'Orphée, Tom invite les plantes et les animaux à vivre en accord parfait avec lui.

Que les chants commencent ! Chantons en chœur
Le soleil, les étoiles, la lune et la brume, la pluie et le temps
nuageux,
La lumière sur la feuille qui bourgeonne, la rosée sur la
plume,
Le vent sur la colline [...] (I, p. 170).

Sa compagne, Baie d'Or, est comme revêtue de fleurs vivantes, le son de ses pas bruisse tel « un ruisseau coulant doucement sur des pierres fraîches dans le calme de la nuit » et Frodon, ému, soudain empli d'une sereine félicité, chante spontanément son éloge :

Ô toi, svelte comme une baguette de saule ! Ô toi plus claire
que l'eau claire ! [...]
Ô toi, printemps et été [...] (t. 1, I, p. 172).

Il n'est question ni de Bien ni de Mal, c'est encore le temps de l'innocence. Tom Bombadil est étranger à toute préoccupation de pouvoir, il étreint le monde sans vouloir le dominer ni le modifier. Il existe dans une sorte de plénitude. C'est un personnage difficile à concevoir, à expliquer, et à représenter (P. Jackson y a d'ailleurs renoncé dans son film) parce qu'il est la simplicité même. Maison proprette, joncs verts, goûter de miel et de crème, rien ne donne la moindre impression de fantastique ou de divin sauf le sentiment d'absolue sécurité et de parfait bonheur qu'éprouvent les hôtes. La douceur d'une enfance heureuse où les parents préparent les tartines des petits ?

Dans les premiers temps d'Arda, la forêt couvrait le continent. Au 3e Âge, hors la Vieille Forêt, séjour de Tom, il ne reste de la sylve primitive que Fangorn. Merry et Pippin y vivent une expérience magique. Le vieil Ent

Sylvebarbe les met en contact avec un passé très ancien, plus ancien que l'humanité. Son étrange langage, sorte de *houm* primitif, n'a rien d'abstrait ni d'arbitraire, il dit les choses comme elles sont selon le rythme de la croissance végétale. Il explique d'ailleurs que les vrais noms reflètent si exactement les êtres [1] qu'il serait dangereux de les confier à n'importe qui. Son fredonnement le met en phase avec les êtres de la nature et il communique ainsi bien mieux qu'avec un langage articulé, fait partager sa pensée à des lieues à la ronde. Le repas qu'il sert à Merry et à Pippin ressemble fort à une communion.

Derniers vestiges de paradis, les refuges des Elfes, Fondcombe et la Lórien. Les ombres et la peur s'arrêtent à la frontière des ruisseaux qui les bordent. À l'intérieur, le temps ne fuit plus et la durée ne dure plus. Tout n'est que beauté et pureté, lumière et douceur. Paradis du végétal, des arbres surtout. Rêve écologique d'une nature intacte où les habitations se fondent complètement dans le paysage. Les Elfes vivent en osmose avec la nature, les chevaux de Rohan les reconnaissent et se laissent monter à cru par Legolas.

Hélas ! tous les paradis doivent être perdus et ceux-là ne faillissent pas à la règle. *Le Seigneur des Anneaux* sonne le glas du monde ancien. Sylvebarbe annonce le dessèchement des forêts, Galadriel prédit le grand départ des Elfes dont Arwen est l'« étoile du soir ». Faramir qui voit encore dans la naïveté des Rohirrim un rappel des Jours Anciens, a la triste conscience d'être « un Homme du Milieu, du Crépuscule [2] ». Gandalf répond sans illusion à la question inquiète de Théoden :

« Quelle que soit la fortune de la guerre, ne se termi-nera-t-elle pas de telle sorte qu'une grande partie de ce

---

1. Les toponymes et noms de personnes qu'invente Tolkien ont gardé cette transparence de l'âge d'or : ils décrivent les êtres et les lieux.
2. Livre IV, p. 384.

qui était beau et merveilleux disparaîtra à jamais de la Terre du Milieu ?

– Il se pourrait, dit Gandalf. Le mal infligé par Sauron ne peut être totalement guéri, et on ne saurait l'annuler purement et simplement. Mais nous sommes condamnés à ces temps. Poursuivons le voyage que nous avons commencé ! » (III, p. 203).

La fin du roman offre aux protagonistes la récompense suprême du paradis lointain mais a la saveur douce-amère des adieux : Arwen se sépare de son père, Sam de Frodon, Endor renonce à la Faërie.

FAUTE ET CHÂTIMENTS

Dans les mythes anciens, les hommes commettent des péchés si graves qu'ils irritent la divinité qui restaure un certain équilibre en les punissant. Sauron, Saroumane ou Denethor, à des degrés divers, tombent tous dans le péché de Lucifer ou des héros antiques : égarés par l'orgueil, pris de démesure, ils perturbent l'ordre cosmique. Denethor veut tout savoir, Sauron aspire à faire régner sa terreur sur la Terre entière. Saroumane ou Sauron, Frankenstein industriels, s'emparent du privilège des dieux en créant par des manipulations maudites des troupes d'êtres à leur convenance. De simples instruments pour assurer leur domination. Ils les marquent de leur sceau : œil rouge ou main blanche, afin d'exhiber leur génie.

Comme Babel, les tours sont les signes de cette aspiration audacieuse à rivaliser avec le ciel. Ce n'est pas un hasard si elles ont été l'une après l'autre confisquées par les Ennemis. Tolkien les décrit minutieusement [1], afin que le lecteur soit saisi d'admiration et d'effroi. Avant même de les visiter, Frodon en rêve : « Au centre de la

---

1. Textes cités : t. 1, I, p. 176 ; t. 2, IV, p. 323 ; t. 3, VI, pp. 235, 257 et 298.

plaine s'élevait une aiguille de pierre, pareille à une vaste tour mais non bâtie de main d'homme. [...] De la sombre plaine montèrent une clameur de voix féroces et le hurlement de nombreux loups. » Il s'agit d'Orthanc, forteresse de Saroumane où Gandalf est retenu prisonnier. Mêmes frissons devant Cirith Gorgor, le Pas Hanté : « De hauts escarpements s'abaissaient de part et d'autre, et, de la gorge, sortaient deux collines nues [...]. Au sommet, se dressaient les Dents du Mordor, deux hautes et fortes tours. Elles avaient été construites en un temps très ancien par les Hommes de Gondor dans leur orgueil et leur puissance. » La tour de Cirith Ungol « s'élevait en trois grands étages d'un ressaut de la montagne loin en dessous ; elle était adossée à un grand escarpement, d'où elle saillait en bastions pointus [...]. Sa porte ouvrait [...] sur une large route, dont le parapet extérieur longeait le bord d'un précipice [...] elle suait la peur et le mal. » Les nuages s'écartent et Sam aperçoit la tour de Barad-Dûr, « dressée toute noire, plus noire et sombre que les vastes ombres au milieu desquelles elle s'élevait, [...] avec ses cruels pinacles et son couronnement de fer ». Créneaux, cornes ou dents, elles semblent prêtes à déchirer : elles sont souvent des lieux de torture et de mort. Leurs meurtrières épient comme des yeux malveillants. Même la blanche tour de Minas Tirith inquiète par son excès, elle donne le vertige. Les escaliers, parfois majestueux et éclatants comme ceux d'Edoras, participent aussi de la même démesure et oppressent qui les escalade : Frodon et Sam se sentent mal à l'aise sur les gigantesques rampes de Cirith Ungol.

L'âge de fer est celui où se déchaînent la violence et la guerre. Autre péché que d'avoir détruit la paix des origines. Comme Caïn a tué Abel, Sméagol assassine Déagol. Un crime parmi tant de massacres. La vision des couloirs de Cirith Ungol, jonchés de cadavres d'Orques qui se sont entretués, horrifie particulièrement.

Tout le roman est hanté par la menace de Sauron. Au

lieu de l'œil de Dieu, tourmentant la conscience de Caïn, c'est l'œil du démon qui obsède le texte. Son œil unique cherche à repérer les héros, qui parviennent par miracle à se dérober jusqu'au bout. Il se démultiplie en espions, en guetteurs. Encore une scène forte lorsque Frodon et Sam domptent les Guetteurs de pierre qui gardent la porte du Mordor. Leur volonté les brise. « Ils [...] passèrent devant les deux grandes figures assises avec leurs yeux étincelants. Il y eut un craquement. La clef de voûte de l'arche s'écrasa presque sur leurs talons, et le mur d'au-dessus se désagrégea et tomba en ruine. [...] Une cloche retentit ; et un grand et terrible gémissement monta des Guetteurs » (VI, 258). On aura reconnu le syndrome de Jéricho : à la fin de la dernière bataille, même effondrement des forteresses de l'Ennemi.

L'ANGOISSE DE L'APOCALYPSE

Les mythes répondent enfin à une question angoissante : que va devenir le monde ? La réponse est sans doute tout aussi angoissante : il va vers sa fin, et s'écroulera dans un fracas d'Apocalypse. Il est vrai que les mythes le font renaître, régénéré, de ses cendres ou des eaux du déluge. La roue tourne. *Le Seigneur des Anneaux* ne s'achève pas par les cataclysmes mondiaux qui ont secoué les époques antérieures. Mais on pouvait le craindre.

On craint à vrai dire la catastrophe tout au long du récit. L'ombre monte. La nuit gagne du terrain sur le jour. Brumes et fumées obscurcissent le ciel. En Isengard, en Mordor, plus tard en Comté, Sauron et Saroumane ont ravagé la Nature. Plus de plantes, plus de rivières, mais des friches industrielles [1]. Des déserts cendreux, des

1. Leçon d'écologie en passant : il faut veiller, préserver la planète des dégâts de la technologie et des folies de l'homme.

rocailles, comme un glacis atomique. Paysage stérile, ce que les romans du Moyen Âge baptisent la « terre gaste ». Tout cela ressemble bien à une fin du monde et les personnages la croient imminente quand s'ouvre la Porte Noire qui crache tous les démons de l'Enfer ! Trolls, Orques, Ouargues...

Bien que Tolkien ait augmenté leur effectif, on retrouve dans les Nazgûl les Cavaliers de l'Apocalypse. Les Nazgûl incarnent l'approche effrayante de la Mort. Ils galopent pour cerner leurs victimes. Puis ils se perfectionnent et parcourent le ciel. Leur approche inspire la terreur, leur souffle donne la mort noire. Faramir, Eowyn, Merry en seront frappés. Ils guériront. Le monde ne sera pas totalement détruit mais le royaume du Mal s'écroule.

> « La terre gémit et trembla. Les Tours des Dents oscillèrent, vacillèrent et tombèrent ; le puissant rempart s'écroula ; la Porte Noire fut projetée en ruine ; et de très loin, d'abord sourd, croissant, puis montant jusqu'aux nuages, vint un grondement, un mugissement, un roulement de bruit fracassant » (VI, 308).

Le monde n'est pas totalement régénéré mais l'Arbre Blanc repousse, Endor retrouve la paix et l'harmonie par la volonté d'un souverain humain.

UNE FORÊT DE SYMBOLES

> *La Nature est un temple où de vivants piliers*
> *Laissent parfois sortir de confuses paroles ;*
> *L'homme y passe à travers des forêts de symboles*
> *Qui l'observent avec des regards familiers.*
>
> C. BAUDELAIRE, *Les Fleurs du Mal*,
> « Correspondances »

Comme dans le poème de Baudelaire, l'univers de Tolkien donne au lecteur l'impression contradictoire du mystère et de la clarté. Les paysages sont étranges, féeriques ou effroyables, et pourtant leur signification nous est immédiatement lisible. Le monde de Tolkien vit de symboles et proclame que tout fait sens, que tout est Sens.

« Comme de longs échos qui de loin se confondent », toutes les choses qui se rattachent à un être lui ressemblent et confirment son identité. Le nom parle par son étymologie : Arwen, étoile du soir..., comme par ses sonorités : poésie fluide des noms elfes, Elrond, Elladan, Elwing, Galadriel, Nimrodel[1]..., consonnes agressives pour des pics aigus comme le Zirak-Zigil ! Boromir sonne du cor éclatant, les troupes sauvages s'annoncent par le battement sourd et lancinant des tambours, les Elfes chantent. Les vêtements des Elfes sont impalpables, aériens, ceux des Orques lourds et malodorants. Les boissons des Ents diffusent lumière et parfums, celles des Orques râpent le gosier... Les blasons offrent un emblème évident de cette parfaite transparence : cheval blanc sur fond vert pour le Rohan, arbre neigeux entouré d'étoiles pour la lignée d'Elendil, navire et cygne d'argent sur fond bleu pour le prince Imrahil, œil rouge sur fond noir pour Sauron...

Pour comprendre le cours du monde, il suffit d'observer et de contempler. Tolkien donne une sorte de méthode de lecture dans les courtes enquêtes « policières » auxquelles se livrent Aragorn, Gandalf ou Faramir[2] qui s'entendent à rassembler les indices et à déchiffrer les énigmes. Mais il ne faut pas avoir la vue courte, il convient d'embrasser les vastes horizons[3]. Plusieurs pas-

---

1. D'où l'intérêt sans doute de préserver au mieux les noms originaux et de préférer Rivendell à Fondcombe ?
2. Aragorn sur la piste de Merry et de Pippin, Faramir s'interrogeant sur la mort de Boromir, Gandalf enquêtant sur Saroumane ou Denethor.
3. Ceux du temps comme ceux de l'espace – voir Livre de mémoire, p. 191.

sages saisissants montrent comment le héros, depuis un lieu élevé, regarde au loin, domine ce qui l'attend du Gondor au Mordor. Les descriptions panoramiques abondent : Frodon voit ainsi la Comté depuis une colline, Baie d'Or lui montre toute la vallée du Brandevin et la Vieille Forêt, il vit une expérience décisive sur le Siège de la Vue à Amon Hen, il partage avec Faramir les perspectives qui s'ouvrent depuis la terrasse d'Henneth Annûn.

L'EAU, LA TERRE ET LE FEU

Dans un univers romanesque où les villes et les constructions des hommes tiennent moins de place que la nature sauvage, où les origines du monde sont chantées pour leur beauté primitive, il est logique que s'impose une mythologie des éléments.

La pierre s'oppose au végétal. Les montagnes inquiètent et repoussent. Le Caradhras rejette les pèlerins dès le début de la Quête. Les routes difficiles longent des précipices ou s'insinuent dans des gorges resserrées. Angoisse du vertige, angoisse de l'étouffement, oppressions [1]. Des falaises ou des remparts élevés écrasent de leur hauteur le voyageur. Parois lisses, inhumaines. Le Mordor est complètement cerné de chaînes apparemment infranchissables et Frodon passe tout un livre à escalader, gravir, ramper pour se frayer un accès. Le territoire de l'Ennemi, image de mort, n'est plus que rocs entassés, plaines de cendres et amas de gravats. Saroumane, imitateur de Sauron, a transformé son domaine d'Isengard en cauchemar minéral.

« Il ne poussait plus rien de vert dans les derniers temps de Saroumane. Les routes étaient pavées de dalles

---

1. Leitmotiv très insistant dans l'œuvre – quelques extraits sont signalés dans l'Index – et qui a retenu particulièrement l'attention des dessinateurs ainsi que celle du cinéaste P. Jackson.

de pierre, sombres et dures ; et, au lieu d'arbres, elles étaient bordées de longues rangées de colonnes, certaines de marbre, d'autres de cuivre et de fer, réunies par de lourdes chaînes » (t. 2, III, 209).

Sous la terre, s'étend un monde d'effroi. Les cavernes de la Moria ont été envahies par les Orques, dans les tunnels de Cirith Ungol se tapit l'Araignée vampire. Seul le travail des Nains arrive parfois à changer cette image et à transformer en merveilles ces sombres souterrains. Même les statues, pierres sculptées par les Hommes, par leur présence fantomatique, provoquent un vague malaise comme si, à la façon des Trolls de pierre aperçus au début de l'expédition, elles étaient des êtres vivants soudain figés par la mort. Elles sont les vestiges d'un glorieux passé disparu, ce qui explique l'admiration mitigée des compagnons naviguant entre les géants de l'Argonath, de Pippin pénétrant dans Minas Tirith. Les ennemis s'empressent de profaner ces symboles du pouvoir ancien : Saroumane place sa Main à l'entrée d'Isengard, les Orques mutilent le roi trônant à la Croisée des Chemins. La première manifestation des vainqueurs est d'ailleurs de rétablir l'ordre : de replacer la tête du Roi et de briser l'index. Les signes sont essentiels pour le réconfort des âmes.

Les forêts sont au contraire des lieux de vie, de paix, de bonheur serein. Tolkien s'attarde à décrire longuement les fleurs qui tapissent la Lórien, la diversité des végétaux qui foisonnent en Ithilien... Paysages qui rappellent le paradis.

> « Il sortit sur les terrasses qui dominaient le flot sonore du Bruinen pour regarder le frais soleil se lever au-dessus des montagnes lointaines et projeter ses rayons obliques au travers de la fine brume argentée ; la rosée luisait sur les feuilles jaunes, et le réseau des filandres scintillait sur tous les buissons. [...] À l'est, la neige blanchissait les cimes » (II, 319).

L'Isengard repris par les Ents ressuscite : la pierre y est noyée de verdure. Sam replante la Comté qui se couvre d'arbres merveilleux. Aragorn découvre un rejeton de l'Arbre Blanc et le plante dans la cour de Minas Tirith. La victoire se marque par le triomphe du végétal sur le minéral.

L'eau s'oppose au feu. Dès que le Mal gagne, les eaux se polluent et finissent par se tarir. On assiste aux différentes phases de cette mort lente lors du voyage : les gués de l'Isen, les approches du Mordor, puis le désert desséché du Mordor même qui semble condamner Frodon et Sam à mourir de soif. Les eaux dormantes cachent des monstres tentaculaires comme le Guetteur de la Moria, les eaux stagnantes laissent voir des cadavres dans le marais des morts. En revanche tous les lieux heureux sont baignés d'eaux vives : sources pures, ruisseaux murmurants, courants rapides. L'eau protège comme un anneau béni Fondcombe ou la Lórien. Et le bruissement des cascades semble la mélodie même du bonheur[1].

L'Orodruin, sommet du Mordor et but de la Quête, est un volcan : ce n'est pas un hasard. Tout au long du roman, les images de feu reprennent la vieille mythologie de l'Enfer. Denethor, devenu fou, allume un immense bûcher pour détruire sa ville, son fils et lui-même. Des lueurs rouges diabolisent les forges d'Isengard :

> « Des roues d'acier y tournaient sans répit, et les marteaux y résonnaient sourdement. La nuit, des panaches de vapeur s'échappaient des trous d'aération, éclairés par en dessous de lueurs rouges, bleues ou d'un vert vénéneux » (III, 210).

Feux et fumées signalent au loin la progression des armées de Sauron et jalonnent la plaine de Gorgoroth. Peu à peu la description est envahie par ces feux émanant

1. Prairies, bois et ruisseaux : des rêves très anglais.

des profondeurs de la terre ; ils s'imposent même dans les rêves de Frodon. Et quand le Bien l'emporte, l'eau vainc le feu comme dans cette étonnante image de l'Isengard : « Le cercle était rempli d'eau fumante : chaudron bouillonnant dans lequel se soulevaient et flottaient des épaves de madriers » (III, 211).

LES COULEURS DU MONDE

À ces rêveries élémentaires, correspond tout un symbolisme des couleurs. Couleurs tranchées qui reviennent dans les descriptions en thèmes obsessionnels. Les couleurs s'intensifient selon que les voyageurs rencontrent des êtres plus purs ou entrent sur des territoires plus maléfiques.

Noir et rouge, les couleurs du Mal, celles qu'arborent les armées de Sauron. Le monde de l'ennemi est celui de l'obscurité : Tolkien utilise souvent « l'Ombre » pour désigner le pouvoir de Sauron. Les Nazgûl ou les Orques ne rôdent d'abord que la nuit ; à mesure que s'accroît le pouvoir de Sauron, le jour se lève de plus en plus difficilement, il y aura même un Jour sans lumière. Des nuages voilent le soleil, des brumes grises cachent la terre, les Cavaliers sinistres projettent leur silhouette sombre. L'angoisse du noir étreint les cœurs, de manière presque enfantine, dans le passage de la Moria. Et il faut tout le courage d'Aragorn pour emprunter le Chemin des Morts, galerie obscure sous la montagne. Noires montagnes, tours noires, Porte Noire, tout le Mordor a la couleur de la nuit et de la cendre. La dernière apparition de Sauron manifeste et annule ce pouvoir terrifiant du Noir :

« Il leur sembla que, noire sur le voile de nuages, s'élevait une ombre, impénétrable, couronnée d'éclairs, qui remplit tout le ciel. Elle se dressa, énorme, sur le monde et étendit vers eux une vaste et menaçante main, terrible mais impuissante ; car, au moment où elle se penchait sur eux, un grand vent la saisit, tout fut emporté et disparut ; et un silence tomba » (VI, 309).

La violence et la destruction sont, elles, figurées par le rouge, rouge du sang, rouge du feu. L'œil rouge, emblème de Sauron, ou la lueur lointaine du volcan qui terrifie Frodon.

Blanc et vert sont les couleurs du Bien, celles qui illuminent particulièrement l'univers des Elfes. La lumière est signe de salut : les lampes de la Moria conçues par les Nains repoussaient les périls de l'obscurité, le bâton de Gandalf émet un éclat blanc suffisant pour indiquer la route. Dans le désespoir de Cirith Ungol, le cristal de Galadriel brille d'une lumière assez pure pour chasser la mort loin de Frodon et de Sam et leur redonner la foi. La victoire de Frodon se marque par la renaissance du jour.

> « Et l'Ombre partit, le Soleil se dévoila, et la lumière jaillit ; les eaux de l'Anduin brillèrent comme de l'argent, et dans toutes les maisons de la Cité, les hommes chantèrent, car la joie emplissait leur cœur sans qu'ils puissent en dire la cause » (t. 3, VI, 329).

Dans le domaine des Elfes, les eaux sont blanches, les prés se couvrent de fleurs blanches, le teint même d'Arwen a l'éclat de la neige. L'argent et l'or accentuent l'effet de lumière [1], les territoires elfiques sont baignés de ce rayonnement. La floraison dorée du mallorne et... la naissance d'enfants blonds comme la petite Elanor Gamgie célèbrent la régénération de la Comté.

---

1. Se reporter par exemple p. 65 à la description des arbres de Lórien.

III – LIRE, RE-VIVRE

TEXTES À LIRE ET À RELIRE

LES ŒUVRES DE TOLKIEN [1]

En Pocket

Le Seigneur des Anneaux (3 tomes)
Le Silmarillion
Les Aventures de Tom Bombadil (édition bilingue)
Ferrant de Bourg-aux-Bois (édition bilingue)
Contes et légendes inachevés (3 tomes), avec dossier
   pédagogique par Catherine Bouttier.
Le Livre des Contes perdus, tome 1
Faërie, (contient la version définitive de *Du conte de
   fées*, conférence donnée en 1939, étude savoureuse et
   éclairante)

Dans d'autres éditions

Le Livre des Contes perdus, traduit par Adam Tolkien,
   Christian Bourgois, 2002, 800 p.
Les Lettres du Père Noël, Christian Bourgois, 1977.
The Road Goes Ever on, 1re publication Unwin Paper-
   backs Edition, 1968.

1. Cette bibliographie ne présente, sauf exception, que des
ouvrages aisément accessibles, traduits en français et publiés en
édition de poche. Pour une bibliographie complète et savante,
notant en particulier les références des éditions originales anglaises
et les premières parutions en français aux éditions Christian Bourgois, se reporter à l'ouvrage de V. Ferré, *Tolkien : sur les rivages
de la terre du milieu*, rééd. Pocket 2002.

The Letters of J.R.R. Tolkien, éd. de H. Carpenter, Londres, Harper & Collins, 1999 (des commentaires éclairants sur les circonstances et les choix de l'écriture de l'œuvre).

Les Chants de Tom Bombadil, Gallimard, 2001.

Poèmes, illustrations de J.R.R. Tolkien, Paris, Christian Bourgois, 1993, 3 vol.

Poèmes extraits du *Seigneur des Anneaux*, illustrations d'A. Lee, Paris, Christian Bourgois, 1994.

Tree and leaf, Allen & Unwin, 1964.

Gallimard Jeunesse vient de publier un poème de Tolkien, *L'Adieu à la terre du milieu*, chant mélancolique de Bilbon subtilement illustré par Pauline Baynes.

Les manuscrits de Tolkien ont été publiés entre 1983 et 1996 par son fils Christopher dans une édition monumentale (12 volumes) : *The History of Middle Earth* (HoME).

tomes 1-2 *The Book of Lost Tales (Le Livre des Contes perdus)*

3 *The Lays of Beleriand (Les Lais du Beleriand)*

4 *The Shaping of Middle Earth (La Formation de la Terre du Milieu) : Quenta, Ambarkanta et premier Silmarillion*

5 *The Lost Road (La Route perdue)*

6 à 9 *The History of the Lord of the Rings* (dans le t. 9, aussi *The Notion Club Papers and the Drowning of Anadûnê*)

10 *The Later Silmarillion, the Legends of Aman (Le Silmarillion définitif, et les légendes d'Aman)*

11 *The War of the Jewels (La Guerre des joyaux)*

12 *The Peoples of Middle Earth (Les Peuples de la Terre du Milieu)*

Irène de Los Santos, qui en rédige un compte rendu pour le hors-série n° 1 de *Faëries*, conclut que la lecture de cette somme est difficile et d'un intérêt inégal : textes anecdotiques ou inachevés, langue souvent archaïsante, donc ardue pour un angliciste moderne, critique érudite de Christopher Tolkien dont le style n'a pas la saveur de celui de son père... Ces tomes permettent de suivre l'élaboration progressive de son univers par Tolkien. L'article conseille sagement de commencer par *Bilbo, Le Seigneur des Anneaux, Le Silmarillion, les Contes inachevés*, et de continuer par les *Lettres* et la biographie de Carpenter, avant d'attaquer les tomes 10 et 11 de la série HoME.

Pour se repérer en Terre du Milieu

Carte de la Terre du Milieu, éditée par B. Sibley, Paris, Christian Bourgois, 1995 (jolie et utile).

Journeys of Frodo : an Atlas of J.R.R. Tolkien's The Lord of the Rings, de B. Strachey, Londres, HarperCollins, 1998.

The Atlas of Middle-Earth, de Fonstad, Karen Wynn, Houghton Mifflin, 1981.

ÉTUDES SUR TOLKIEN

Indispensables et éclairants !

HUMPHREY Carpenter, *J.R.R. Tolkien, une biographie*, Pocket, n° 4614.

FERRÉ Vincent, *Sur les rivages de la Terre du Milieu*, Paris, Christian Bourgois, 2001, rééd. Pocket 2002.
Tolkien et le Moyen Âge dans *La Trace Médiévale et les écrivains d'aujourd'hui*, dir. M. Gally, Paris, P.U.F. 2000, pp. 121-141.

La revue *Faëries* a publié en janvier 2002, à l'occasion de la sortie du film de P. Jackson, un Hors Série (N° 1) entièrement consacré à Tolkien.

Études écrites ou traduites en français

BONNAL Nicolas, *Les Univers d'un magicien*, Paris, Belles Lettres, 1998.

CAMUS C. et CLUZEAU N. ont dirigé *Faërie* n° 1, Paris 2000, qui contient un dossier sur Tolkien.

DAY David D., *L'Anneau de Tolkien*, Paris, Christian Bourgois, 1996 (récit et analyse des différents contes antiques et médiévaux sur les anneaux qui ont pu inspirer Tolkien).

JOURDE P., *Géographies imaginaires,* Paris, J. Corti, 1991 (sur Tolkien, Michaux, Gracq et Borges).

Les Cahiers de l'imaginaire, dossier Tolkien, Laillé, n° 6, 1982.

KLOSZKO E., *Les Langues elfiques : dictionnaire quenya-français-anglais*, Toulon, Tamise productions, 1995.

KOCHER P., *Les Clés de l'œuvre de J.R.R. Tolkien*, Paris, Retz, 1981 (sur Bilbo, Sauron, Aragorn...).

Nombreux articles, plusieurs thèses universitaires, autres références... cités dans la bibliographie de V. Ferré, *op. cit.*, et recensés sur les différents sites Internet mentionnés pp. 239-240.

Ouvrages en anglais

Une abondante bibliographie que l'on trouvera dans le livre de V. Ferré ou sur les sites « officiels » consacrés à Tolkien. Citons seulement :

FOSTER Robert, *The Complete Guide to Middle Earth, an A-Z Guide to the Names and Events in the Fantasy World of J.R.R. Tolkien from* The Hobbit *to* The Silmarillion, Unwin Paperbacks 1978 (recension utile des lieux et personnages avec une notice éclairante sur chacun).

Et un des derniers ouvrages parus, très polémique, celui de Tom A. SHIPPEY, *J.R.R. Tolkien, author of the century*, HarperCollins où l'auteur de *The Road to Middle-Earth*, Allen & Unwin, 1982, rappelle aux journalistes et critiques qu'avant de gloser sur Tolkien, il faut l'avoir lu.

IMAGES

ILLUSTRATIONS

• de Tolkien

Le Royaume de Tolkien : visions des Terres du Milieu, Grenoble, Glénat, 1996 (illustrations de divers artistes, dont J. HOWE, T. NASMITH, A. LEE).

Peintures et aquarelles de J.R.R. Tolkien, Paris, Christian Bourgois, 1994 (illustrations du *Hobbit* et du *Seigneur des Anneaux* parues dans des calendriers entre 1973 et 1979).

Un livret de 20 cartes postales reproduit certains des paysages peints par Tolkien (éd. Harper & Collins, 1998), on y découvrira en particulier Hobbitebourg, Fondcombe, Fangorn, la Lórien.

J.R.R. Tolkien, artiste et illustrateur, Paris, Christian Bourgois, 1996 (œuvres de jeunesse, illustrations du *Hobbit* et du *Seigneur des Anneaux* et manuscrits illustrés, réunis par W.G. HAMMOND et C. SCULL).

• d'autres illustrateurs

Des dessinateurs imaginatifs qui connaissent visiblement par cœur l'œuvre de Tolkien se sont attachés à en représenter les décors et les actions. Certains lieux les ont particulièrement inspirés comme les tours angoissantes ou les forêts féeriques. Il est intéressant de feuilleter les albums comme ceux que publient les éditions Glénat pour découvrir les styles complètement différents de John HOWE et Alan LEE (les plus fantastiques), Ted NASMITH (plus « naïf » et familier), Pauline BAYNES (le versant poétique), ou Cor BLOK (le versant humoristique) pour ne citer que les plus connus. Vous pouvez retrouver aussi leurs dessins sur les sites Internet recensés (les

233

« encyclopédies » y sont richement illustrées) et y découvrir les dernières inventions de jeunes dessinateurs.

Alan LEE a illustré une édition du *Seigneur des Anneaux,* Christian Bourgois, 1992.

Le calendrier 2002 (éd. Harper & Collins), imaginé par Ted NASMITH, illustre les épisodes marquants du tome I (livres I et II) qui correspond au premier film de P. Jackson.

Les 20 cartes postales du livret *The Lord of the Rings* (éd.Harper & Collins, 2000) montrent comment divers illustrateurs figurent des épisodes clés du *Seigneur des Anneaux* : belles représentations en particulier du franchissement du Bruinen, de la tour d'Orthanc et du désert gris de Gorgoroth par Ted Nasmith, d'un Nazgûl dans la nuit par John HOWE, de l'ouverture de la Porte Noire par Alan LEE, du départ final aux Havres Gris par David WYATT.

Et aussi *Le Seigneur des Anneaux : l'art de Tolkien* des frères Hildebrandt aux éditions Soleil, 2001.

LE FILM DE PETER JACKSON

À 17 ans, **Peter Jackson** a lu avec passion la suite romanesque du *Seigneur des Anneaux* et s'est mis à attendre avec impatience la sortie du film car l'œuvre lui semblait appeler les images cinématographiques. Et comme une fois qu'il eut fait ses premières armes de réalisateur, nul n'avait été assez fou pour se lancer dans cette entreprise gigantesque, il a décidé de se lancer ce défi. Sa première grande rencontre avec le cinéma a été *King Kong*, qui l'a émerveillé et épouvanté ; adolescent, il apprécie les films de vampires. Ce sera le thème de son premier film, réalisé à 16 ans. Il continue dans le fantastique avec *Fantômes contre fantômes* ou *Créatures célestes* (scénario nominé aux Oscars). Dans *Le Seigneur des Anneaux,* il est particulièrement attiré par le mélange de réalisme très vraisemblable et de fantastique et il tient à préserver dans son film cette double nature de l'œuvre.

Tolkien décrit dans ses romans des paysages surprenants et variés, des personnages étonnants, et ses innombrables lecteurs s'en sont fait des images bien précises. C'est une véritable gageure de ne pas les décevoir. Peter Jackson a donc particulièrement réfléchi sur cette **mise en images**. Originaire de Nouvelle-Zélande, il a tout de suite pensé que les îles de l'archipel offraient tous les sites sauvages souhaitables : côtes et sommets, neiges et prairies, cascades et déserts. L'acteur qui interprète Legolas a même conclu avec conviction : « La Nouvelle-Zélande, c'est le pays de Tolkien. » Des repérages effectués un an avant le tournage ont permis de sélectionner soixante-dix lieux de tournage, autour de Wellington (ville natale de P. Jackson), sur le mont Victoria..., souvent enfouis au cœur de parcs naturels, loin de toute infrastructure moderne. Il a parfois fallu transporter tout le matériel technique par hélicoptère mais tout lecteur de Tolkien sait que « l'espace où évoluent les personnages est plus qu'un simple décor, il fait partie intégrante de l'histoire ». Il fallait trouver des endroits assez saisissants pour convaincre même les fanatiques. Et les spectateurs du film ont été effectivement frappés par la grandeur des paysages. Évidemment ce parti pris n'a pas facilité le tournage qui a duré quatorze mois, sous des pluies diluviennes et des tempêtes de neige... Selon les acteurs, les incidents et accidents réels qui ont jalonné le tournage rendent plus crédible la difficulté de l'expédition.

Il a fallu parfois remodeler le site pour lui donner l'aspect décrit dans le roman : ainsi la colline de Hobbitebourg a-t-elle été creusée de terriers, plantée de haies, découpée en potagers et jardins. Puis on a laissé passer quelques saisons pour que les nouveaux aménagements se patinent et se fondent naturellement dans le cadre. Pour rester fidèle à l'imaginaire du roman, Peter Jackson a su convaincre deux lecteurs privilégiés de lui apporter leur aide. Les dessinateurs John Howe et Alan Lee, qui illustrent depuis des années les œuvres de Tolkien, sont venus de Suisse et de Grande-Bretagne en Nouvelle-Zélande, et sur place ont dessiné des milliers de croquis pour montrer les transformations à faire en fonction de chaque épisode, les bâtiments ou les plantations à prévoir. Sur leurs indications, ont été construites des maquettes très détaillées pour filmer des scènes à Fondcombe, en Lórien.... Les spectateurs ont pu apprécier la hauteur vertigineuse d'Orthanc où Gandalf était prisonnier.

Les dessinateurs ont bien sûr prévu l'aspect du moindre gobelet ou du plus insignifiant tabouret. Rien ne devait être laissé au hasard. Un casse-tête pour les accessoiristes qui se sont ingéniés à dénicher des artisans capables de coudre le cuir, de tisser la laine ou de forger les épées selon des techniques médiévales. Le résultat est assez convaincant ; là encore P. Jackson tenait par-dessus tout à ce que cela ne fasse pas « toc » : pas question de s'autoriser le carton-pâte, l'épée d'Aragorn devra porter des runes gravées sur sa lame !

La **distribution** associe des stars américaines : Cate Blanchett pour Galadriel, Liv Tyler pour Arwen, et des acteurs de théâtre anglais : Sir Ian Mac Kellen pour Gandalf, Sir Ian Holm pour Bilbon. John Rhys-Davies, qui joue Gimli, est spécialiste des rôles de composition (on l'a vu par exemple dans les *Indiana Jones*) ; Christopher Lee, Saroumane, est la mythique incarnation du vampire dans les films qu'adorait le jeune Jackson. Viggo Mortensen, acteur, poète et musicien, avait refusé d'abord un rôle qu'il trouvait trop contraignant (plus d'un an loin de chez lui) mais son fils, lecteur passionné du *Seigneur des Anneaux*, a insisté pour qu'il devienne Aragorn. Elijah Wood, lui, voulait absolument le rôle de Frodon et s'était même inventé un costume de Hobbit pour être plus convaincant à l'audition[1]. Cela dit, il ne suffit pas d'avoir un physique correspondant au personnage, il faut encore

1. Sean Astin joue Sam ; Dominic Monaghan, Merry, le « boute-en-train de la bande », dit-il ; Billy Boyd, Pippin. Orlando Bloom a la blondeur de Legolas, Hugo Weaver l'autorité d'Elrond.

perfectionner les détails par des maquillages et trucages habiles : ajouter aux Elfes des oreilles pointues, grossir le nez de Gimli, allonger celui de Gandalf. Bref il fallait compter trois heures pour préparer le magicien et six heures pour le Nain. Deux heures pouvaient suffire pour ajuster les perruques et surtout les pieds poilus des Hobbits. C'est l'atelier Weta Workshop qui a conçu toutes ces maquettes : épées, pieds ou oreilles. Il fallait que les pieds soient assez souples pour permettre les courses dans les herbes, les Hobbits en ont usé deux mille deux cents pendant le tournage !

Ce sont les Orques qui ont nécessité le plus d'imagination : faces verdâtres et narines de reptiles pour les Gobelins de la Moria, yeux jaunes et crocs de félins pour les Orques de Sauron. Dents pourries en pagaille et verrues de latex. Un marathon de dix heures pour rendre bien visqueux l'Ourouk-Hai créé par Saroumane. L'aspect final est franchement répugnant ! « Le temps du tournage, commente R. Taylor, directeur de Weta Workshop, on a vécu dans un autre monde. Il y avait des créatures étranges, des armes et des armures un peu partout. Certains jours, en entrant dans l'atelier, on se disait : "Ça y est ! j'y suis ! me voilà en Terre du Milieu." »

Diverses ruses enfin sont utilisées pour donner l'impression de disproportion entre les petits Hobbits et les Hommes : des accessoires surdimensionnés pour faire croire à leur petitesse, des manches et jambes trop courtes à leurs costumes pour qu'ils aient l'air étriqué, un tournage en perspective forcée. Enfin des effets spéciaux ont été réalisés par ordinateur pour faire vivre le Balrog ou Gollum.

Le plan de **tournage** aussi a été minutieusement préparé : on dirait que le perfectionnisme de Tolkien déteint sur ses fans. Fran Walsh, la coproductrice, et Philippa Boyens, deux lectrices assidues de la trilogie, ont secondé P. Jackson pour élaborer le scénario. Pendant toute cette

conception, un ouvrage de référence constamment véri-
fié : le roman de Tolkien. Puis toutes les scènes ont été
représentées sur des vignettes à la manière d'une B.D.
On a ensuite filmé ces images en ajoutant la bande-son,
ce qui donne une sorte de dessin animé. Et quelques
séquences ont été simulées par ordinateur comme le combat de Gandalf contre le Balrog. Enfin ont été tournés en
même temps les trois films. Plusieurs scènes parfois ont
été filmées le même jour à des kilomètres de distance.
Condition nécessaire selon le réalisateur pour que la trilogie garde son unité intrinsèque. Toutes les images ont
donc d'abord été tournées, puis le réalisateur a entamé le
montage et la confection de la bande-son des épisodes
les uns après les autres. Le premier, *La Communauté de
l'Anneau*, est sorti en 2001 ; le deuxième, *Les Deux
Tours*, suivra en 2002. Il faudra attendre 2003 pour voir
le dernier, *Le Retour du Roi*.

« Ces films, conclut P. Jackson, ont été faits par des
fans du livre pour des fans du livre ! Quant à ceux qui
n'ont pas encore lu *Le Seigneur des Anneaux*, j'espère
leur faire partager un peu de la magie de l'œuvre de
Tolkien. »

Durée du premier épisode [1] : 2 h 40.

« Une vision du monde empruntée aux valeurs des
Lumières », commente S. Blumenfeld dans *Le Monde* du
17 décembre 2001. « P. Jackson envisage l'imaginaire
comme une manière d'aborder autrement la réalité, voire
de l'éclairer. Son intelligence, son ironie, la liberté de ton
de son scénario, son utilisation habile des extérieurs [...]
concourent à une vision qui semble plus dévoilée que
fabriquée. » Il estime que la trilogie de Tolkien faisait
allusion « au nazisme, à la guerre froide, au péril atomique et aux effets de la révolution industrielle. P. Jackson

1. Le DVD de ce premier épisode est sorti en août 2002, chez
Metropolitan Film & Video TF1.

l'a réduite à une interrogation sur l'humain et son éventuelle capacité à reprendre les rênes de notre civilisation ». Il rapproche l'esthétique de P. Jackson de celle de John Boorman dans *Excalibur*, ou de Ray Harryhausen dans *Jason et les Argonautes*, loin de la vogue des effets spéciaux par numérique. Ce film, qui donne l'apparence de la vie, « regarde le merveilleux avec conviction ».

Avant le film de P. Jackson, une première tentative de mise en images assez peu convaincante :

Le Seigneur des Anneaux, film animé de R. Bakshi, 1979, 133 minutes – DVD Warner Home Video.

Sur le film de P. Jackson, plusieurs livres abondamment pourvus de photos sont sortis :

Les Coulisses du film de Brian Sibley, Gallimard Jeunesse, 2001, 96 pages (alerte et sympathique).
Le Guide du film d'Alison Sage, Gallimard Jeunesse, 48 pages.
Le Seigneur des Anneaux : le guide officiel du film de Brian Sibley, Le Pré aux clercs.
La Communauté de l'Anneau : le livre du film de Jude Fisher, Le Pré aux clercs.

Et de nombreux articles :

À noter une étude rapide mais intéressante de S. Blumenfeld dans *Le Monde* du 17 décembre 2001, une interview de V. Ferré pour *Télérama*, un long article de D. Hansen dans le *Newsweek* du 10 décembre 2001...

VOYAGES EN ENDOR

SITES INTERNET

www.jrrvf.com propose un forum, des notices, des index et la possibilité de lancer des recherches par thème ou par mot sur les romans de Tolkien.

http ://pourtolkien.free.fr complète l'ouvrage de V. Ferré, *op. cit.*, en présentant une bibliographie abondante, des tables de concordance entre les éditions Christian Bourgois et Pocket, des développements qui n'ont pas trouvé place dans sa synthèse.

http ://www.tolkiendil.com est le site de l'Association Tolkien ; il offre une encyclopédie, des essais sur la géographie, les peuples..., des images et de nombreux liens. À recommander : particulièrement bien fait, clair, judicieux, notices et articles classés selon la difficulté d'approche (débutant, averti ou expert), et codés par « anneaux » (de 1 à 5 selon les références exigées), nombreuses et belles cartes, chronologies nettes.

www.tolkiensociety.org est le site de la société britannique fondée en 1969.

Pour des informations sur les langages, on peut consulter :

www.fan.theonering.net/rolozo
et surtout : *www.uib.no/People/hnohf/*
(traductions en français sur *http ://ardalambion.fr.free.fr*)

L'histoire et la géographie :

www.xenite.org/parma/pe/table.htm
www.glyphweb.com/arda ouvre une encyclopédie sur Arda comportant plus de 2 000 entrées, régulièrement remises à jour (notices souvent trop brèves pour satisfaire le passionné).

www.tolkien.co.uk propose entre autres des bibliographies et une « galerie de tableaux » avec notices sur les différents illustrateurs.

FANTAISIE, FAËRIE : DÉFINITIONS

MANLOVE C.N., *Modern Fantasy*, Cambridge University Press, 1975.
SCHULTZE M.-L., *Une lecture d'un genre, l'Heroic fantasy, Royaume-Uni et États-Unis, 1932-1982*, thèse de doctorat dirigée par M. Jouve, Bordeaux III, 1997.
WOLLHEIM D., *Les Faiseurs d'univers : la science-fiction aujourd'hui,* Paris, Robert Laffont, 1982, chapitre 25.
UMBERTO ECO, *Apostille au Nom de la Rose*, Paris, Grasset, 1985 (Le Livre de Poche, Biblio Essais).

À ÉCOUTER

Textes lus

The Lord of the Rings, adaptation radiophonique en 13 épisodes de B. Sibley et M. Bakewell, BBC, 1981.
Des extraits lus par l'auteur dans :
J.R.R. Tolkien reads The Hobbit *and* The Lord of the Rings, New York, Caedmon, 1999, 50 minutes.
The Lord of the Rings *performed by J.R.R. Tolkien*, New York, Harper & Collins, 1998, 45 minutes.

Musique

The Lord of the Rings, 1re symphonie de Johan de Meij, 1989, enregistrement de l'Amsterdam Wind Orchestra – CD produit aux Pays-Bas par JE Classic Aalsmer. Ce poème symphonique comprend 5 mouvements : Gandalf, Lothlórien le bois des Elfes, Gollum, Un voyage dans les ténèbres (évocation de la Moria), Les Hobbits.

D'un style tonal et d'une inspiration assez romantique, c'est, selon S. Sanahujas, *Faëries*, HS 1, une œuvre d'un « lyrisme prenant, aux mélodies subtiles et fortes », aux leitmotive particulièrement accordés à l'imaginaire de Tolkien.

Le Porteur de l'Anneau de P. Deceuninck, jeune compositeur français, est une sorte de « musique de film » qui restitue les ambiances de divers épisodes, et pourrait accompagner agréablement la lecture. Cette musique peut être découverte sur son site *http ://pdeceuninck.free.fr* ou sur un CD enregistré par le Saint Petersburg Academic Symphonic Orchestra.

Elven Music, caprice, enregistré à Moscou en 2000 et 2001 (label Prikosnovénie), est « un mirage sonore alternant mélancolie profonde et joie éthérée, une rencontre hallucinée à la frontière des sens, un mystère qui se dévoile au voyageur égaré dans l'ancestrale forêt baignée de brumes féeriques et de clarté lunaire » (Alienor, dans *Faëries*). Créé par de jeunes musiciens russes, cet album essaie d'imaginer la musique des Elfes. Il utilise entre autres la harpe pour la couleur celtique. Deux autres albums sont annoncés ; l'un devrait s'inspirer du *Seigneur des Anneaux* et s'intituler *Songs of Middle Earth*.

Sans oublier la musique, à la fois « celtique » et contemporaine, composée par Howard Shore pour le film de P. Jackson (disponible en CD).

JEUX

Jeu de cartes

Conçu et édité par Decipher (prendre la 2ᵉ version, plus claire et plus exacte).

Cartes illustrées par des photos du film ; existe en boîtier simple ou boîte de luxe avec accessoires de jeu. La maison a prévu 9 extensions d'ici 2004, 3 par an, en correspondance avec les films : *The Fellowship of the Ring, Mines of Moria, Realms of Elf-Lords, The Two Towers, Battle of Helm's Deep, Ents of Fangorn, The Return of the King, Siege of Gondor, Mount Doom*. La version française sera distribuée par Hexagonal.

Jeux de rôles

Middle Earth ou *Le Jeu de rôles des Terres du Milieu* est déjà connu et pratiqué depuis longtemps.

Nombreux livrets en anglais comme *Middle Earth Campaign Guide*, ICE, 1993 (bonne notice sur les langues avec lexiques), ou en français comme *Lórien*, ICE/Hexagonal, 1988...

Autres jeux

Un jeu de plateau en anglais distribué par Hexagonal.

Des jeux de figurines édités par Games Workshop (une grande boîte pour bataille rangée, et plusieurs petites, thématiques : Attaque au Mont Venteux, Embuscade à Amon Hen, Évasion d'Orthanc, Duel à Khazad-Dûm, la Communauté de l'Anneau.)

Sur le Web, divers sites de jeux :

en anglais : As Winter Passes :
  http ://members.aol.com/mwcouncil/merp.com

Middle Earth Role Playing : *http ://www.merp.com*

Multi Users in Middle Earth : *http ://mume.pvv.org*

Tolkien Computers Games :
  http ://www.lysator.liu.se/tolkien-games

When You Know More :
  http ://www.wsite.net/-mweeks/meccg

ou en français : Le Miroir des mondes :
  http ://www.mdmondes.org

Le Site de l'Elfe noir : *http ://www.sden.org*

Jeux vidéo

Deux leaders mondiaux du jeu électronique annoncent, pour la rentrée et Noël 2002, des jeux concurrents : *Le Seigneur des Anneaux – Les Deux Tours* chez Electronic Arts et *Le Seigneur des Anneaux* chez Universal interactive, renforcé par un *Bilbo le Hobbit* dans une filiale du groupe, Sierra. Un avant-goût en a été donné à Los Angeles en mai 2002, au Salon des divertissements électroniques. Projeté dans un dôme en forme de terrier, les images et la musique du jeu Universal ont déclenché la colère du président d'Electronic Arts qui détient les droits d'adaptation du film. Il les trouve trop proches de la saga de P. Jackson et menace d'intenter un procès. Universal possède pour sa part les droits d'adaptation du livre et se défend en soutenant que les graphismes ont été inventés d'après le livre, donc sans s'inspirer aucunement du film. Jim Wilson, patron du studio Universal interactive, a déclaré : « Le jeu a été fait par une équipe de dix experts qui ne connaissent que Tolkien, qui n'ont lu que ça toute leur vie, peuvent en réciter chaque ligne, et ils ont travaillé des mois. On sait que les fans nous attendent au tournant, ils ne seront pas déçus. » Affaire à suivre...

Produits dérivés

Les recettes énormes engendrées par le premier film (845 millions de dollars) laissent prévoir un marché prometteur.

Le studio New Line a vendu en France des licences à France Télécom, Nestlé, William Saurin (jusqu'à 2 millions de francs chacun). Les autres partenaires versent 14 % sur les ventes ; parmi eux, peu de fabricants de jouets.

IV – INDEX

Who's who

Les astérisques renvoient aux généalogies, pp. 161-162, pour certains personnages. Les dates indiquées entre parenthèses sont celles de leur naissance et de leur mort : sauf mention particulière, les dates au-dessus de 2000 se rapportent au 3e Âge, les dates en dessous de 200 au 4e Âge.

Notices sur les personnages	pages
Au premier plan du récit	
Aragorn* (2931–120), fils d'Arathorn et de Gilraen, Rôdeur et roi caché, chef des Hommes du Nord (Dúnedain), alias « Grands-Pas », Elessar (« pierre elfique »).	136
Frodon* Sacquet (2968-), fils unique de Drogon Sacquet et de Primula Brandebouc. Cul-de-Sac, Hobbitebourg, Comté. Prend brièvement le pseudonyme de M. Soucoline.	140
Gandalf le Gris, 2e de l'ordre des Magiciens (Istari), dit aussi Manteau-gris, le Cavalier blanc, Mithrandir (« pèlerin gris », son nom elfe), Corbeau-de-tempête... Il détient Narya, un des Trois Anneaux elfiques. Arrivé en Terre du Milieu vers 1000, il se bat pendant deux mille ans contre les menaces de l'Ombre. Il atteint son but en permettant la défaite, à la fin du 3e Âge, des forces mauvaises commandées par Sauron et Saroumane.	133
Gollum (2430-3019) autrefois Sméagol, Hobbit.	159
Gimli (2879-), fils de Glóin, descendant de Durin. Roi des Nains.	147
Legolas, fils de Thranduil, Elfe de la Forêt (Sylvain), royaume au nord de la Forêt Noire (ex-Vertbois-le-Grand).	148
Meriadoc Brandebouc, fils de Saradoc (2982 du 3e Âge – vers 65 du 4e Âge), dit « Merry ». Comté originaire du Pays de Bouc, en devient Maître.	146

Notices sur les personnages	pages
Elladan*, Fils d'Elrond.	100
Elrohir*, Fils d'Elrond.	100
Glorfindel (« cheveux d'or »), seigneur elfe, combat les Nazgûl au gué de Bruinen.	100
Grishnákh, orque qui participe à l'enlèvement de Merry et Pippin ; en voulant les confisquer à la bande pour obtenir l'Anneau, il leur permet de s'évader puisqu'il est tué par les Cavaliers.	149
Haldir, Elfe de Lórien.	
Hama, Homme de Rohan, tué à Fort-le-Cor.	
Magotte (Père) « pieds-boueux ».	
Nob, Hobbit, auberge de Bree.	
Ouglouk, Ourouk-Hai d'Isengard, particulièrement féroce, chef de la bande qui enlève Merry et Pippin ; tué par Eomer	129.
Poiredebeurré Prosper, aubergiste à Bree	

INDEX DES PERSONNAGES [1]

1. En gras, passage essentiel.

INDEX RERUM

Les chevaux, les épées, les anneaux qui portent des noms propres sont rangés avec les noms de personnes.

Mallorne (mellyrn), 65, 66, 145, 228.

Miroir de Galadriel, 66, 145, 208.

Mithril, 69, 104, 129, 140, 167, 169.

Niphredil, 65, 199.

Oliphant, 52, 118.

Ouestrain, 99, 110, 114, 121, 129, 171, 172, 199.

Palantir(i), 27, 139, 146, 155, 159, 167, 168, 206.

Quenya, 99, 171, 185, 232.

Rohirric, 114.

Sindarin, 99, 171, 185, 199.

INDEX DES LIEUX

TABLE DES MATIÈRES

Impression réalisée sur Presse Offset par

BRODARD & TAUPIN

GROUPE CPI

16613 – La Flèche (Sarthe), le 19-12-2002
Dépôt légal : novembre 2002

POCKET – 12, avenue d'Italie - 75627 Paris cedex 13
Tél. : 01.44.16.05.00

Imprimé en France